中共秦皇岛市海港区委宣传部 编

溯源 海港区的文化脉络

时光留痕

老照片背后的历史与故事

老港·老街·老城·老景

燕山大学出版社

图书在版编目（CIP）数据

时光留痕 / 中共秦皇岛市海港区委宣传部编. —秦皇岛：燕山大学出版社，2017.9（2019.5 重印）

（溯源丛书）

ISBN 978-7-81142-475-1

Ⅰ. ①时… Ⅱ. ①中… Ⅲ. ①区（城市）—地方史—秦皇岛—图集 Ⅳ. ①K292.24-64

中国版本图书馆 CIP 数据核字（2017）第 258254 号

时光留痕

中共秦皇岛市海港区委宣传部 编

出 版 人：陈　玉
责任编辑：朱红波
封面设计：于文华
出版发行：燕山大学出版社 YANSHAN UNIVERSITY PRESS
地　　址：河北省秦皇岛市河北大街西段 438 号
邮政编码：066004
电　　话：0335-8387555
印　　刷：涿州市般润文化传播有限公司
经　　销：全国新华书店

开　　本：700mm×1000mm 1/16　　**印　　张**：11.75　　**字　　数**：149 千字
版　　次：2017 年 9 月第 1 版　　**印　　次**：2019 年 5 月第 2 次印刷
书　　号：ISBN 978-7-81142-475-1
定　　价：50.00 元

序

海港区的历史很短，自1956年建区至今只有短短的61年。海港区的文脉很深，从公元前215年秦始皇东巡碣石、望海祈福，这片土地承载着2200多年的历史，可谓一个鹤发童颜的智慧长者。

千年的沧海桑田，形成了海港区山、海、湿地、地质奇观共融的自然环境，塑造了不可多得的生态资源。南临渤海、北倚群山的独特地理，让海港区见证了从南北朝时期北齐修筑边墙抵御胡虏，到明代军事将领戚继光重修长城的御敌史；也经历了从昔日的小渔村、小码头到改革开放、城市快速崛起的开放史，海港区在历史风云中历经沧桑，积累了宝贵的人文财富，成就了这座城市独特的文化底蕴。浩瀚的大海、起伏的群山涵养了不可多得的生态资源，也演绎出了山海相依、港城互融的文化特色。自然与人文交相辉映，生态与文明相得益彰，造就了海港区璀璨的文化气象和厚重的文化底蕴。历史格外厚爱这片幸运的土地，时代特别钟情这片宜居宜业宜游的热土。地理、历史、文学、艺术、民俗、典故，都成为海港区的文化之源。

在新时期的发展实践中，海港区人以历史文化为基石，不断突破创新，敞开胸怀同世界接轨，以海纳百川的气度吸纳一切新鲜事物、成功经验，并内化为前行的不竭动力，形成了“开放、包容、崇德、尚美”的海港精神。这是海港区地域文化最核心的内容，也是最具时代特点的价值追求。如果说海港文化是一条历史长河，那么海港精神就是这条长河当中最具活力、魅力的文化传承。海港区的自然环境经历了何种变迁？海港区的民间文化沿着怎样的脉络绵延至今？海港区人如何筚路蓝缕使港城呈现今日模样？作为海港区的建设者、海港精神的传承者，我们有责任回溯历史，把海港区发展之路记录好、挖掘好、整理好，让更多的人了解海港区、热爱海港区，为此，我们编写出版“溯源”这套丛书，追溯海港区历史源头，提升海港区的文化魅力，推进物质文明与精神文明协调发展，让群众共享文明成果。

回顾历史是为更好地向前走。当前，海港区正处在转型发展、跨越崛起的关键时期，新的动能正在集聚，新的业态正在孕育，新的作风正在形成，这是海港区千载难逢的历史性契机，也是海港区最接近“美丽港城”梦想的重要时期。将全省最大的城市中心区发展成全省最好的城市中心区，打造一流主城区和沿海经济增长极是每一名海港区人的使命与责任。区域的发展更需要文化的助力和支撑。编写“溯源”就是要挖掘文化底蕴、展示人文特色、弘扬海港精神，激励海港区人从历史文化中吸取养分，提高文明素养，提升城市的软实力、竞争力。如能引读者探究海港区的历史，投身港城建设，此书也就实现了它的价值。

中共秦皇岛市委常委、海港区委书记

冯国林

2017 年 9 月

CONTENTS

目录

【第一章】历史起源

大事要览

【一】公元前215年，秦始皇（嬴政）东巡碣石，来到渤海岸边，派人由小岛驾船渡海，寻找仙山，求取仙药。后人称这座小岛为秦皇岛。

【二】1900年，外国列强组成的八国联军由海上入侵秦皇岛，侵略者在陆地上建造营盘，横行霸道，无恶不作。

【三】1933年，日本侵略者在码头登陆，入侵秦皇岛，在日寇统治下，人民的生活陷入水深火热之中。

【四】1948年，国民党部队兵败撤离，中国人民解放军进驻山海关、秦皇岛地区，中国共产党领导的秦榆市宣告成立。

【五】1949年，秦榆市改为秦皇岛市，辖海滨区、上庄坨区，另有市区内设的三个区，道南为一区，道北东片为二区，西片为三区。

【六】1956年，秦皇岛市区划分为海港区和汤河区。

【七】1958年，海港区与汤河区合并称为海港区。

【八】1984年3月，按照中央关于农村政社分开的指示，废除公社名称，成立乡政府。当时本市设郊区，管辖的黄土坎、马坊、铁庄、白塔岭、归提寨均由公社改成了乡政府。同年7月，郊区建制撤销，这五个乡划归海港区管辖。

【九】1995年，全区乡一级建制撤销，建立镇，海港区管辖海港镇、海阳镇、东港镇、西港镇、北港镇，另外管辖十个街道办事处。

【十】2015年，原来隶属抚宁县管辖的驻操营镇、石门寨镇、杜庄镇划归海港区管辖。

燕山脚下，渤海之滨，是一片美丽富饶的土地。群山耸秀，波涛起伏，风光美丽，宜居宜游，这是今日海港区的真实写照。

追溯海港区的历史，不能不把目光投向渤海湾中的一座小岛，这座岛便是最初的秦皇岛。这座小岛最初并没有名字，在人类漫长的历史进程中，在相当长的时期内并没有人关注它。年复一年，日复一日，它坐落在一片浅水中，与脚下清澈的浪花相依，与身边青翠的植被做伴，与天水之间飞舞的海鸟为友。默默无闻，甘于寂寞。“水何澹澹，山岛竦峙。树木丛生，百草丰茂。秋风萧瑟，洪波涌起……”借用曹孟德《观沧海》中这段古典名句形容小岛及其周围的景色，真是恰如其分。

直到公元前215年，被后人称为“千古一帝”的秦始皇率领

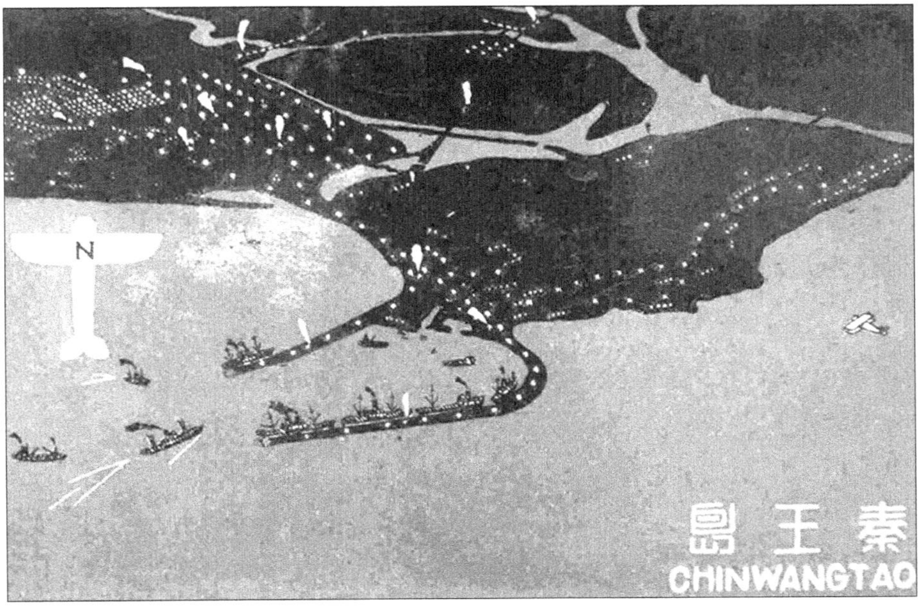

民国年间的海港区图。

浩浩荡荡的东巡队伍来到渤海岸边，并且登临了这座小岛，演绎出了一连串的拜海求仙的故事。从此，人们开始叫它秦皇岛。如今的海港区东山“秦皇求仙入海处”景区，大致展现了这段情景。

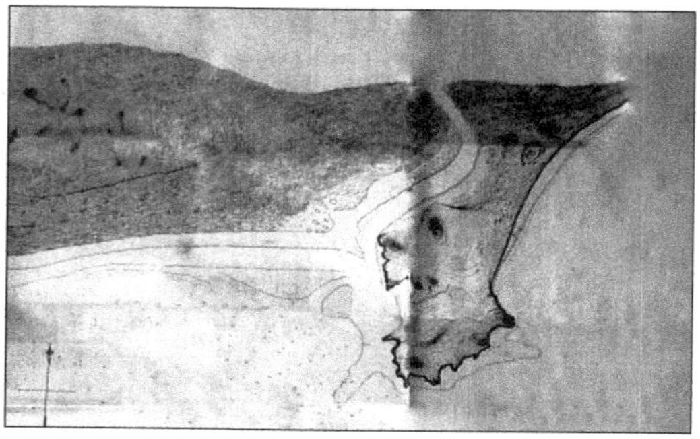

清代由英国白利公司工程师设计的秦王海岛图，从图中可以看出海岛的形状及三座山的位置情况。

过去，秦皇岛还有另一个名称叫秦王岛，有学者认为，唐太宗李世民于贞观年间率兵马东征高句丽，曾驻足此地，并登临了那座小岛，因为李世民曾为秦王，所以此地得名“秦王岛”。其实，这只是学者们解读历史的一种说法。秦始皇称帝前也曾号称秦王,将“秦皇”与“秦王”认同为一人，才是符合史实的。1986年，河北省考古队在北戴河金山嘴一带发掘出土了秦始皇行宫建筑群遗址，进一步证

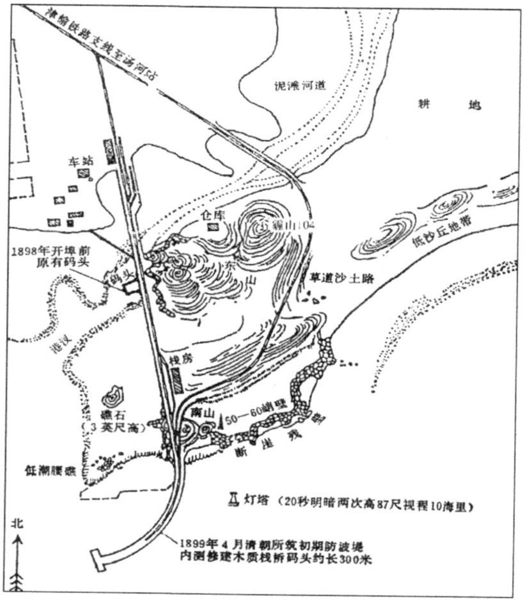

1900年以前秦皇岛港口平面图（据开滦矿务局外文档案1900年海图2357号“秦皇岛地形图”绘制），从图中可以看出秦皇岛原来的海岛形状及岛上有三座山的情况。

实了秦始皇统一六国后，确实东巡过渤海，亲临秦皇岛。

时光流逝，江山更迭，一切都在变化之中。

在200多年前，这里还是一座名副其实的岛屿，直到19世纪末，随着港口的建设，岛屿才与陆地相连，成为大陆的一部分。于是，“岛”的范围随之扩大，与它连接起来的一片地域都被人称为秦皇岛。而那座原来的“岛”，则成为当地人登高望海的好去处，久而久之，人们把它叫作了东山公园。这便是明明不是海岛只是沿海城市的秦皇岛为什么被称作“岛”的缘由。

北戴河金山嘴北侧横山上发掘秦皇行宫遗址的照片。

在古代，秦皇岛并不是一个行政区域的概念，它只是一座海岛。到了清朝，这里才成为秦皇岛镇，归属临榆县（县城在山海关）管辖。

当然，那时候秦皇岛的概念还是狭义的，并不是如今所辖四区三县的行政区域，而是单指如今海港区临近海边的一部分土地。当时所谓的秦皇岛，其实就是海港区。在很长一段时期里，秦皇岛都是临榆县所辖的一个镇。直至新中国成立时才设立了秦皇岛市（1948 年刚解放时设立了秦榆市，归属河北省唐山地区管辖，后改为秦皇岛市）。原来的秦皇岛镇几经演变，就成了秦皇岛市的一个市辖区。

与“秦皇岛”这一古老的名称相比，海港区的名称出现得较晚。1956 年 1 月，秦皇岛市再次划分市辖区时才有了海港区。当初，与之比邻的还有一个主管郊区的汤河区。因为 1899 年清朝政府在秦皇岛东山附近建筑了码头，自此便有了后来举世闻名的秦皇岛港，所以在划分市辖区之后，又几经调整，撤销了原来的一区、二区等建制，设立了海港区。1958 年，海港区与汤河区合并，海港区领域进一步扩大。不要说在设立海港区之前的很长时期，人们都把这片领地称作秦皇岛，即使海港区设立了许多年之后，不少人还是习惯这种叫法。许多居住在山海关、北戴河、抚宁区及其周边县区的居民，他们若有事来海港区，总还是习惯地说去秦皇岛。在 20 世纪 80 年代以前，周边郊区的村民们每当动身前往市区，总要习惯地吆喝一声“上岛啊”。而本地的一些文人墨客，在完成一件自己的书画作品后，总爱在落款处题上“某年某月某某作于岛上”。

斗转星移，沧桑巨变，往事如烟，换了人间。当我们追随着历史的足迹把目光投向今朝，如今的海港区哪里还能寻得到渔家小巷的影子呢？它作为秦皇岛市的主城区，作为全市政治、经济、文化的中心，处处展现出现代化都市的风情。

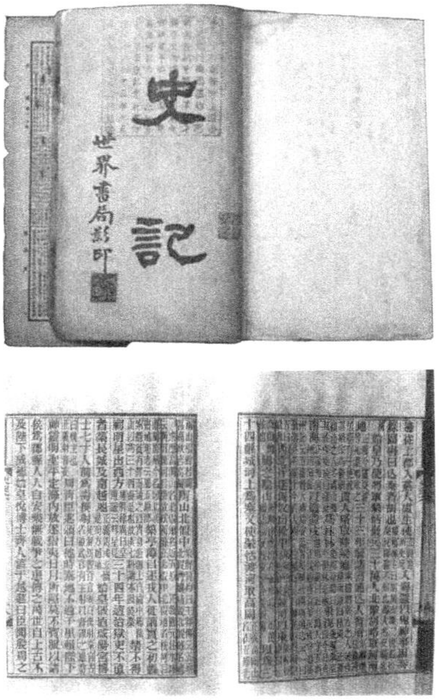

《史记·秦始皇本纪》中记载：“三十二年，始皇之碣石，使燕人卢生求羡门、高誓。刻碣石门。”

秦皇求仙入海处的秦始皇雕像。

历史钩沉

【史书留痕】

据《史记·秦始皇本纪》记载：

三十二年，始皇之碣石，使燕人卢生求羡门、高誓。刻碣石门。坏城郭，决通堤防。其辞曰：

遂兴师旅，诛戮无道，为逆灭息。
武殄暴逆，文复无罪，庶心咸服。
惠论功劳，赏及牛马，恩肥土域。
皇帝奋威，德并诸侯，初一泰平。
堕坏城郭，决通川防，夷去险阻。
地势既定，黎庶无繇，天下咸抚。
男乐其畴，女修其业，事各有序。
惠被诸产，久并来田，莫不安所。
群臣诵烈，请刻此石，垂著仪矩。

20世纪初拍摄的位于海港区东山的明成化十三年（1477年）所立“秦皇求仙入海处”石碑。

因使韩终、侯公、石生求仙人不死之药。

始皇巡北边，从上郡入。燕人卢生使入海还，以鬼神事，因奏录图书，曰“亡秦者胡也”。始皇乃使将军蒙恬发兵三十万人北击胡，略取河南地。

【秦皇求仙入海处的由来】

明成化十三年（1477 年），有人在东山海边立下“秦皇求仙入海处”

1988 年，秦皇岛市海港区政府开始组织打捞“秦皇求仙入海处”石碑残件。

秦皇岛东山曾竖有明成化十三年立的纪念秦始皇入海求仙的石碑，这块石碑后来改竖在南山海岸高地上。20 世纪 60 年代“文化大革命”期间，石碑被人推倒落入海中。1988 年，秦皇岛市海港区政府收集打捞上八块石碑残块，并依样复制“秦皇求仙入海处”石碑立于原地。

石碑一块，以纪念秦始皇拜海求仙的历史。此后，凡是去海边游玩的游人，都要到石碑前观赏，因为碑座为一只龟样动物（实为龙九子之一的赑屃），人们俗称它为“王八驮石碑”。

1991～1993年海港区人民政府在原东山公园内重建了“秦皇求仙入海处”景区。1993年6月第二期工程完成后向游客开放，并在此安放了一块由专家摹写的6米多高的《碣石刻石》，它树立在景区南面面海高地上，向世人昭示着秦始皇来此彰示国威、拓边海疆的那段真实历史。

伴着海浪的喧哗声，时光走过五百多年。20世纪60年代的“文化大革命”期间，各地都掀起了“破四旧”的高潮，这块石碑首当其冲成了典型的“四旧”，被人推倒坠入海中。20世纪80年代，海港区人民政府组织力量在东山附近海域收集打捞该石碑，共打捞出石碑残件八块，随后请专家复原了石碑。如今，依原样复制的石碑立在秦皇求仙入海处景区内。

“秦皇求仙入海处”石碑。

【石门寨名称的由来】

石门寨镇位于海港区北部，北依长城，南邻中部盆地，处于国家级地质公园柳江盆地中心位置。这里历史上是军事重镇，如今，仍是交通要道，本市地方铁路和秦青公路贯穿南北。

唐代以前，便有高句丽人在此用石头筑城，设立关隘，史称石门城。到了唐朝贞观年间（627 ~ 649 年），唐太宗李世民率队东征高句丽，在此扎营，组织军士和工匠对石城进行维修扩建。

明朝隆庆三年（1569 年），朝廷派人在此开辟通道，驻扎军队，称为石门路。明朝万历十八年（1590 年），参将刘承恩率部在此扩建城池，改称为石门寨，此名沿用至今。

【秦皇岛市成立】

1948 年 12 月，新华社发布了这样一条消息：

（新华社华北廿五日电）北宁铁路线上的秦榆市（合并山海关、秦皇岛的新设市）已改名为秦皇岛市，直辖海滨区及上庄坨矿区两地。原秦榆市军事管制委员会改称

人民日報

北甯路上的秦榆市
改名爲秦皇島市
山海關劃歸東北遼西省
【新華社華北廿五日電】北寧鐵路綫上的秦榆市（合併山海關、秦皇島的新設市）已改名爲秦皇島市，直轄海濱區及上莊坨礦區兩地。原秦榆市軍事管制委員會改稱秦皇島市軍事管制委員會，由王世[illegible]爲主任，李雪瑞、王植嶺爲副主任。原屬秦榆市管轄之山海關市已被劃歸東北遼西省。

1948 年 11 月 27 日，秦皇岛解放。次月，在秦皇岛建立秦榆市，辖山海关办事处、一区（现海港区铁道南）、二区、三区（现海港区铁道北东区、西区）、海滨区、上庄坨区。1949 年 3 月，山海关改为市，划归辽西省。同时，秦榆市改称秦皇岛市，为河北省省辖市。

秦皇岛市军事管制委员会，由王世煜为主任，李雪瑞、王植范为副主任。原属秦榆市管辖之山海关市已被划归东北辽西省（辽西省撤销后，山海关又划归秦皇岛市，成为市辖区）。

沧海横流，群山耸秀，风光诱人，宜居宜游。今日海港区正在向一座现代化的沿海经济强区奋力前行。

【第二章】

城市风貌

大事要览

【一】1898 年，大清朝光绪皇帝御批，在秦皇岛自开口岸，建立码头，从此便有了秦皇岛港。

【二】1924 年，秦皇岛（镇）人口统计:2354 户，14323 人。

【三】1954 年，新中国领袖毛泽东主席来到海港区，视察了设在本区的秦皇岛港和耀华玻璃厂，亲切接见了工人、干部代表。

【四】1972 年，市区的河北大街、新一路、新北路改为河北大街;朝阳街、道德街、和平街、民主北街改为朝阳街;长城路、车站路改为长城大街;清真街改为民族路;大庙南街改为建国路;大庙西街改为新立街；民主东街改为民主街；市革委会路改为人民路；建设路改为建设大街。

【五】1973 年，文化路南段立交桥建成通车，这是秦皇岛有史以来的第一座立交桥。

【六】2003 年，太阳城商业中心建成，昔日的“雨来散”成为最繁华的商业区。

【七】2014 年，世纪港湾商业中心建成，海港区的城市形象进一步提升，展现了现代化都市风采。

1898年3月26日，清政府宣布永平府的秦皇岛紧随湖南岳州与福建的三都澳之后为“自开口岸”。因港口的兴建，秦皇岛这个荒芜的小岛与昔日的渔民小村，开始逐步展露出城市的雏形。

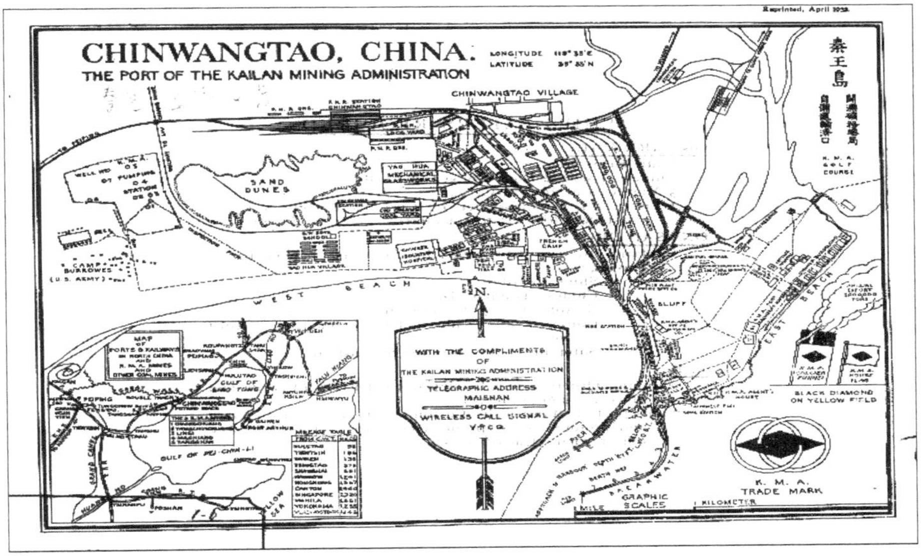

清光绪年间，由外国人绘制的秦皇岛港设计图。

1994 年修建的第一座南山灯塔，高 15.24 米，射程 16 海里。

清光绪年间至民国初期的秦皇岛港口码头。

海港区南面临海，北部有山，属暖温带半湿润大陆性季风型气候，四季分明，温度适中，夏无酷暑，冬无严寒。每年无霜期约 180 天，自然灾害较少，适于农作物生长，适于人类居住。海洋资源较为丰富，细沙积成的海底平坦，水温适度，并具有冬季海水不冻的特点，很适合建设现代化港口。邻近的海域适于鱼虾蟹贝等水产资源生存繁衍，也适合海浴和从事水上运动。

海港区因港形成，因港得名，又因港而得以发展。没有最初秦皇岛港的建立，就不会有后来的海港区。最初，海港区（即秦皇岛镇）沿海一带的居民几乎都是为港口服务的。这里除了渔民和码头工人，就是一些为码头工人供应生活用品的商业、服务业的经营者。有了港口，海的魅力倍增，不断有人将青睐的目光投

秦皇岛码头工人装运煤炭。

民国时期的秦皇岛火车站。

向这里。后来，随着耀华玻璃厂的建立和京山铁路（旧时称京奉铁路，后来称北宁铁路）的南移与发展，这座小镇才逐步发展起来。

最初形成城市化的格局，是由京奉铁路线把街巷划分为道南和道北开始的。

道南与道北是地理意义上的南与北。1878 年 8 月，开平矿务局正式开办，为了把煤炭从矿区运到最近的出海口装船运出，1881 年 11 月，唐山至胥各庄铁路告竣，虽然全长只有 9.7 公里，却具有划时代意义，是实际意义上中国第一条自建铁路。1887 年唐胥铁路展筑至芦台，1888 年又展筑至天津，1894 年天津至山海关通车，称为津榆铁路。1890 年，光绪皇帝谕，东三省兴办铁路，于是又将铁路展筑至山海关以外。到了 1907 年，原唐胥铁路已经变成了由北京经唐山、秦皇岛至奉天（今沈阳）的京奉铁路，1928 年改称为北宁铁路。全国解放以后，北京至山海关一段称为京山铁路，全线称为京沈铁路。此后，原来的唐胥铁路不断向外延伸，形成了如今的京哈线、京广线、京沪线。正是这条中国最早的铁路线，贯穿秦皇岛市区，将海港区分作了南北，人们将铁路以南称为道南，铁路以北称为道北。

在道南，开滦路是独具特色的主要街道，它始建于 1905 年，是港口通往市区的最主要的通道，也是本地最早、最像样、最高级的一条水泥路。解放前的秦皇岛镇公所就设在这条路旁边，当时是本地的政治中心。路两旁排列的一幢幢欧式洋房别具特色，一些外国商界人士在此设立了洋行、烟草公司、石油公司、栈房、银行等实业，看中的便是依托港口有利可图。新中国成立之后，官僚资本被国家没收，外国列强占据的一些行业也被迫撤走，这些洋房驻进了政府机关和一些国营商店。

道南的另外一条路也很有特色，它始建于 1913 年，路面的

民国年间的秦皇岛市街。

民国年间，开滦路上的商家、行人与路边等活儿的拉车人。

民国年间的吉盛兴酒吧，解放后其旧址改为开滦路粮站。图为开滦路粮站夜间售粮。

开滦路上的国营招商局秦皇岛办事处。

民国年间的煤场集体住宅小区。

规模比开滦路要小，因为清一色是用耐火砖（俗称缸砖）铺成，所以被称为“缸砖路”。它是为连通道南与道北而建的，西起老铁路俱乐部大门外，东至京山铁路道口。工作在港口、耀华、铁路的职工及居住在道南的居民，都曾视缸砖路与道口为必经之路。那座铁路道口足有十几米宽，堪称本市铁路道口之最，俗称“高道”，多年以来，一直是连通道南与道北的咽喉要道。直到20世纪70年代，文化路向南延伸，在与京山铁路交叉处修起了立交桥，“高道”和缸砖路才失去了作用。

社会在发展，时代在进步，如今，见证着海港区发展史的开滦路仍然存在，路两侧的洋房几经保护与修建，仍保持着原有的风格。路边的三角花园也被保留下来，环境优雅，是人们休闲娱乐的理想之地。开滦路仍是这座开放城市独特的一隅，而缸砖路

1949年10月时的海港区天桥道口样貌。

缸砖路老门牌及各种式样的缸砖。

和“高道”则在城市的发展变迁中消失了，取而代之的是更高大的建筑和更宽阔的路面。

铁道以北虽不像道南那么“洋气”，却比道南要热闹得多。解放以前，不但人口拥挤，而且房屋窄小、破烂不堪，街面杂乱无章。打把式卖艺的，做小买卖的，拉洋车的，推车送水的，打短工找活儿干的，小偷小摸的，抽大烟的……旧社会市井的缩影几乎全集中在这里。一个用席棚围成的、简陋得不能再简陋、人称“雨来散”的说书馆是道北的中心。后来，说书馆没有了，这个称谓却被扩大了。如今的太阳城商业区那一大片领地，当时都叫“雨来散”。

别看道北地界不大，小街小巷却多极了，因为最初有常住人口时，既没有户籍制度，也没有街道名称和门牌号，所以盖上几间房就得叫上个名字，为的是好记好找。从最早的遇井街到后来的清真街和山东庄，这个街那个胡同，这个条那个里，就像这里的人口一样，越来越多。那时，一条根本算不上宽敞的长城马路，就是道北最阔气的大街了。街道狭窄，与商家店铺过多有关，所以道北也是本地的商业中心。过去，道南的居民出门购物，说一声“上街里”，指的就是去道北。

直到新中国成立之后，秦皇岛市城乡同全国一样掀起了建设高潮，先后修建了清真街、东大街、新华大街、河北大街以及各条小街小巷，道北的杂乱现象才有了改观。如今的海港区，秦皇大街、海阳路、民族路、红旗路、和平大街、建国路、北港大街、外环路、东港路、西港路、北环路、西环路、东环路等一些主要街道，处处展现出现代化城市的风采。

原“雨来散”老门牌。

原“雨来散”老胡同。

纵观海港区的城市发展史，虽然在一百多年前随着港口的发展便形成了城镇，但是由于旧社会的战乱与落后，这座小镇基本上是杂乱无章的，人们的生活水平比周边的农村还要低下。随着新中国的成立，这片邻海之地迎来了一个城市建设的高潮。海阳路的修建，河北大街的不断拓宽与延伸，文化路的贯通，朝阳街商业区的形成，文化路商业区的崛起，都为海港区的城市风貌描绘出多姿多彩的新篇章。而杜庄镇、石门寨镇、驻操营镇（俗称“北三镇”）过去归属抚宁县管辖，其市政建设也取得了显著成绩。一条秦青公路和地方铁路将几个镇串联起来，具有便利的交通条件。如今，城镇的中心地带楼群林立，不但形成了各自的商业中心，也拥有各自管辖的企业和旅游产业。由此可见，“北三镇”作为市区的卫星城，已初具规模。

进入了改革开放的新历史时期，郊区农村不断并入市区，外来人口不断增加，全区的市政建设出现了日新月异的发展趋势。随着火车站北迁，一条迎宾路商业街出现了，当之无愧成为这座城市的窗口。西部的高校区，北部的工业区，沿海一带的旅游区、商业区，接连不断地展现在世人面前，各具特色，令人惊叹。汤河公园、人民广场、环岛公园、植物园等一大批园林景观的出现，为市民们休闲娱乐提供了适宜的场所。而秦皇求仙入海处、新澳海底世界、紫云山滑雪场、圆明山景区等旅游景区的建成，以及北部山区董家口、板厂峪多处长城旅游景区和老君顶、温泉堡、傍水崖旅游景区的开发均为这座著名的旅游城市增添了新的活力。

海港区的人口不断增加，版图也不断扩大。多年来，旧城改造工程一直被党和政府视为重点，住房建设突飞猛进，如今早已不见了棚户区，也不见了多年以前的小平房。不论市区还是城镇，一个个新颖的住宅小区相继形成，高楼大厦鳞次栉比。如今的海

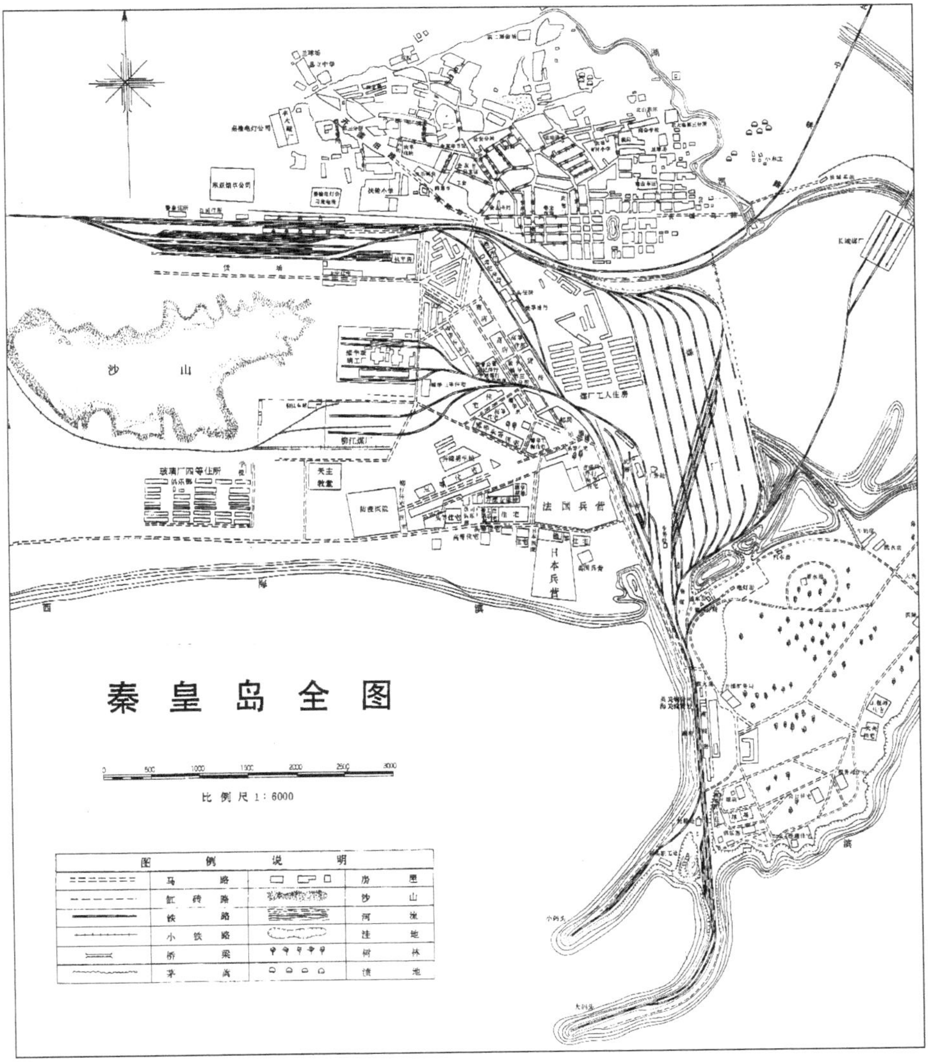

民国年间秦皇岛全图，正是今日海港区的前身。

天桥南的秦皇岛百货大楼（朝阳街百货大楼）。

原道德街居民住宅。

港区管辖八个镇、十三个街道办事处，人口将近百万，东邻山海关区，西邻北戴河区、抚宁区、经济技术开发区，北邻青龙满族自治县，地域从渤海岸边直到长城脚下。全区大致形成了北部山区、中部工业区、南部临港区的三部分格局。

过去，海港区的前身只是一个名叫秦皇岛的小镇，要找到城市标志性建筑，除了东山上矗立着的那一座灯塔，就只有耀华玻璃厂的几座大烟囱了。当然，解放后又多了一座横跨铁路上空的天桥。如今，海港区楼群林立，特色鲜明，秦皇求仙入海处的秦始皇塑像、人民广场的人字雕塑、迎宾路的广电大楼、汤河公园的解放纪念碑、植物园的跨河彩虹桥等，均可作为海港区跨入新时期之后的标志性建筑。

新中国开国领袖毛泽东曾数次来过秦皇岛，他曾在一首描写秦皇岛的词作结尾处挥毫写下“换了人间”这几个大字，如果用来比喻今日的海港区，也是十分恰当啊！

1974 年的文化路。

1983 年为对应新建的秦皇岛站，在昔日的田野中开拓的迎宾路在紧张建设中。

1994 年 6 月 24 日，海阳路改造工程竣工通车典礼。

2016 年，新改建的火车站与站前广场道路全线打通。

2016 年夏季，灯光璀璨的和平大街夜景。

历史钩沉

【话说四道桥、五道桥】

四道桥汽车站是市区众多公交车起止、换乘站点之一，是本区一个重要的地名标识。这里临近商业中心，每天人流熙攘、车辆川流不息。然而，很多人只知道这里叫四道桥汽车站，却不知道这个名字的来历。原来，这里真的有一座桥，随着市政建设的发展，过去的河沟被填平了，桥自然也就不存在了。据查证，海港区老城区形成初期，市区内有一条水沟，为了居民出行方便，曾依次搭建过五座简易的木桥，被俗称为一、二、三、四、五道桥。如今，只有五道桥的位置还能找到桥，就是海阳路上人民公园大门外护城河上的那座桥，不过，桥比原来大多了，路也比原来宽多了。

【长城马路的由来】

20 世纪 90 年代，民族路东侧进行旧城改造，秦皇小区以崛起之势矗立在世人面前，该小区楼群林立，人口众多。过去，长城马路就坐落在这里。

为什么叫这个名字呢？原来是由一条铁路命名的。

解放前，秦皇岛地区曾有过两条地方铁路，一曰柳江铁路（1916 年建成），一曰长城铁路（1924 年建成），因为它叫长城铁路，人们就把靠近车站的一条土路称作长城马路。而长城铁路的火车站就设在如今的秦皇小区所在地。当然，那时的火车站非常简陋，与如今的火车站绝不是一个概念。

1922 年拍摄的柳江煤矿运煤列车开进柳江煤矿铁路公司秦皇岛车站。

民国年间的长城马路旧貌。

新中国成立前，八路军收复长城煤矿后，沿着长城铁路向山海关进发。

改造拆迁前长城马路街巷风貌。

【御道旁的范家店】

范家店，海港镇所辖的一个村庄，从外表看不出有什么特别之处，然而，这个“店”在历史上却很有名。因为它地处交通要道，许多朝代的许多皇帝都在这里住过。

秦朝建立后，这条道被改建成为“驰道”（中国历史上最早的“国道”），当时以咸阳为中心，通往各地的“驰道”共有九条。东汉末年，这条路史称“傍海道”。到了清朝，这条路几经修建，成了“御道”。

据史料记载，康熙、乾隆两位皇帝曾驻跸范家店大营，由此可见范家店的地理位置多么重要。

【津榆铁路遗址与“龙号”机车】

唐胥铁路最早的机车上，因为左右各装饰了一条飞龙，被称为“龙号”机车。1893 年，唐胥铁路向东延伸，穿过海港区，抵达山海关，改称为津榆铁路。这条铁路线，先后创下了我国铁路史上多个第一。

如今，在津榆铁路原址上（迎宾路东侧益寿园内），仍保留着一段铁路地基遗址，遗址长 117 米、宽 23 米、高 3.8 米。2004 年，为了纪念那一段历史，秦皇岛地方铁路有限责任公司复制了一台“龙号”机车模型，安置在地基遗址上。

2004年，秦皇岛市文物局复制的“龙号”机车模型安置在地基遗址上。

海港区迎宾路边益寿园内这条长117米、宽23米、高3.8米的津榆铁路地基遗址，记载了我国第一台机车“龙号”机车与我国第一条官办铁路的历史。

【第三章】交通运输

大事要览

【一】1881 年，唐胥铁路正式通车，尽管全长只有 9.7 公里，却具有划时代的意义，它是我国历史上实际意义的第一条自修铁路。1893 年，唐胥铁路向东延伸至山海关，改称为津榆铁路。从此，秦皇岛地区“咽喉要道”的地位更为重要。

【二】据《秦皇岛市地名词典》载，海港区卸粮口村始建于明永乐二年（1404 年），房、赵、王、张四户人家从山东莱州迁此定居，因沙河入海口设有码头，由此运送粮食而得名。卸粮口是海港区最早的码头。2005 年，为了支持大秦铁路建设，在政府的协调帮助下，全体村民整体搬迁到了卸粮口新村。

【三】1912 年，孙中山先生以全国铁路督办的身份到秦皇岛视察，宣传铁路计划，建议修建京奉直达线。

【四】1973 年，秦皇岛港建成了我国第一座管道输油码头。

【五】1975 年，海港区至山海关区的公交汽车首次运行（此前只有长途汽车）。

【六】1984 年，位于范家店北侧的新的秦皇岛火车站投入使用，原来的火车站改为秦皇岛南站。

【七】1985 年，京秦电气化铁路正式开通。

在漫长的封建社会里，中国交通有着整体落后的大背景。然而，海港区的交通却是相对发达的，因为这里地处华北连通东北的咽喉部位，而且铁路、公路、海运俱全。因此，自古以来这里就形成了一条交通要道（相当于如今的“国道”和“高速公路”）。过去，这条要道当然是并不宽阔的沙土路，却能够任马帮与车队驰行，这在古代已经是相当高级的大道了。这条路，秦始皇东巡时走过，曹操北征乌桓时走过，隋炀帝出临渝关东渡辽水时走过，唐太宗征高句丽时走过。到了明朝，因为这里临近京城，边关要塞需要修建，物资需要运输，信息需要传递，这条路修得更像样、用得更频繁了。这条路，袁崇焕走过，吴三桂走过，李自成走过，攻占北京的清兵更是耀武扬威地走过。在大清封建王朝统治时期，几乎所有的皇上都要通过这里去东北老家祭祖，其中有些皇上往返途经便驻跸于此。因此，一个名叫范家店的村庄就显得十分重要。

不但古代这条要道在范家店身边通过，新中国的铁路及车站、205 国道（京沈公路）、外环路，也修建在它的领地上。秦皇岛不是东北与华北的咽喉吗？海港区的范家店村则是咽喉上神经最敏感的触点。近几年市政建设进一步扩展，国道和外环路才往北迁移，不再和范家店擦身而过。不过，京哈铁路及其秦皇岛站，仍建在它的身边。

此外，还有几条重要的公路是途经海港区的，如京沈高速公路、津秦公路、秦青公路、龙海大道、滨海大道、秦山公路、西部快速路等。

除了公路，海港区的水路也称得上发达。早在秦皇岛港没建成之前，一个名叫卸粮口的码头就出现了。远在汉朝，卸粮口一带就有了海运码头。到了唐朝，这里开始从事运送军粮的活动。明朝时，不但码头的吞吐能力进一步扩大，而且建立了卸粮口村。时至今日，村里还有关于七十二口井的传说。人口不多，却有那么多的井，显然是为船只装运淡水而用的。到了清朝，中华民族形成了大一统的格局，公路更加畅通，卸粮口失去了运送粮食的作用，码头逐渐废弃。如今，昔日卸粮口村的村民已整体搬迁到了卸粮口新村。

清朝政府于1898年批准修建秦皇岛港，这不仅对秦皇岛及

清末，海上运输船缓缓驶入秦皇岛。

清末，民船自河口运载石料。

卸粮口村村民告别了原有的小渔村，集体搬入新村。

其周边地区是件大事，对于整个中国来说也是一件大事，因为这是中国第一个“自开口岸”。英国的《泰晤士报》《伦敦中国报》以及日本的《经济报》等，都对秦皇岛“自开口岸”作了报道。临榆县的一位贡生程敏侯赋《贺秦皇岛开埠》诗云：“于铄哉！秦皇东南黄海黄，秦皇西北长城长。斯岛若终守顽固，大名安能五洲扬。猗休哉！秦皇求仙虽蛍蛊，秦皇拓边实英武。荒岛继踵学开通，改良辟作春申浦。”最初的码头是开平矿务局所建，主要任务就是运输唐山一带开采的煤炭。自此，中国就有了一条北煤南运的新渠道。当然，在旧中国贫穷落后的大背景下，早期的港口运输条件十分落后，码头工人要付出艰苦的劳动。他们要走“跳板”，靠人拉肩扛往船上抬煤，被人喻为“煤黑子”。不少人累得抱病吐血，不少人被摔得腰断骨折，还受尽外国老板和侵华日军的气。直到解放以后，各方面的条件才逐步好转，港口得以不断扩建，终于建成了现代化的一流能源大港。如今，秦皇岛港的员工，已经成为本地区最令人羡慕的人群之一。新中国成立以来，国家对秦皇岛港的建设极为重视，毛泽东、朱德、宋庆龄

民国年间的秦皇岛港鸟瞰图。

等都曾来港口视察。此后党和国家的历任主要领导人，邓小平、李先念、胡耀邦、李鹏、胡锦涛等，也都亲临秦港指导过工作。

另外，在海港区的新开河入海处，有一座地方港口（改革开

1901 年修建的秦皇岛大码头 3 号泊位。

1973 年秦皇岛港务局建成的中国第一座管道运输油码头。

今日秦皇岛港务局管道运输油码头。

分布在海港区沿海的西港区杂货集装箱码头与东港区能源码头构成的现代化海运港口。

今日秦皇岛港务局煤炭运输码头。

2006年，国家重点工程建设项目、年设计煤炭通过能力5000万吨的秦皇岛港煤五期工程竣工投产。

放之初所建），在新开河和沟渠寨海边各有一处停靠渔船的码头，这些较小的码头规模远不如秦皇岛港，却也为本地的经济繁荣做出了贡献。

说到海港区交通发达，除了公路与水路以外，铁路也是一个很重要的方面。本区境内的铁路最早也是兴建于清朝，原称津榆铁路，后称京奉铁路、北宁铁路。于1890年动工兴建，1893年竣工。随着解放前的几次改建，又经解放后国家不断投资扩建，发展成为后来的京山铁路、京哈铁路。进入改革开放的新时期之后，客运车站北移，兴建了京秦电气化铁路，同时有几座新车站（东站和龙家营站）和调车场相继建成，终于形成了如今的现代化和宏大规模，使铁路这条大动脉在我国的重要咽喉部位更加快捷、顺畅、安全、可靠。

如今，在津榆铁路旧址上（迎宾路东侧），保留着一段路基，

民国年间的秦皇岛火车站。

1985 年建成运营的秦皇岛站使城市面貌上了一个新台阶。

于 2010 年启动改造的新车站与站前广场，2013 年投入使用。

路基上停放着最早的“龙号”机车模型，用以纪念这一段铁路发展的历史。

除了上述说的国家铁路，海港区境内还建有地方铁路。这条铁路也是解放前的产物，它的前身一是建成于1916年的柳江铁路，二是建成于1924年的长城铁路，修建这两条铁路都是为了运输柳江矿区所产的煤炭。因为长城铁路曾在市区（今秦皇小区南侧）建有车站，因而车站附近那条马路被叫作长城马路。地方铁路在解放前一直为军阀、日本帝国主义和资本家把持，解放后由新中国地方人民政府接管，将两条铁路合并，建立了地方铁路管理处。多年来，地方铁路几经改造、延伸和扩轨，仍保留着从秦皇岛南站到青龙县山神庙站的运输能力，承担着运送煤炭、焦炭、砂石料、木材、钢材、水泥和一部分山货的任务。地方铁路同国家铁路一样，也为国民经济做出了重要贡献。2017年利用地方铁路既有线路实

1985年12月15日，京秦电气化铁路正式开通。

2013 年 12 月 1 日上午 9 点 51 分，首列 G420 次高铁列车驶出天津西站开往秦皇岛，标志着津秦高速铁路正式开通运营，使津秦两地间最快铁路交通时间由原来的两个多小时压缩至 1 小时 11 分。津秦高铁的开通，将东北、华北、华东地区的快速客运通道连接成网，促进了东北与关内地区的经济、文化和信息交流。

施山海旅游铁路项目，百年地方铁路变身为旅游观光铁路，从海边直达北部山区，本地的旅游线路又多了一道亮丽的风景线。

交通要发达，便离不开桥梁，桥梁本身就是交通要道的重要组成部分。海港区有桥梁的历史并不算悠久，主要起源于京山铁路与汤河的交叉跨越线。铁路大桥主要有三座，一是京秦铁路汤河大桥，于 1984 年建成通车。这座大桥是整个京秦铁路线上的特大桥梁，跨越汤河、京山铁路、秦皇岛地方铁路、京沈公路、秦青公路及乡村数条大小道路。二是老京山铁路汤河大桥，1915 年建成，1984 年重新改建，是京山铁路线上的重要桥梁之一。三是老京山铁路小汤河桥（小汤河俗称二道汤河），它的建设与改建时间和汤河大桥相同，因为小汤河河面又比大汤河窄了许多，所以它比大汤河桥的长度也短了不少。

除了铁路桥，本区境内还有不少公路桥梁，主要有京秦电气化铁路王岭立交桥、津秦公路汤河桥和小汤河桥、京沈公路汤河

火车在市区铁路穿行。

1922 年，柳江煤矿的运送煤列车通过高庄大桥。

1922 年，柳江煤矿第四号机车试车。

桥、西部快速路立交桥、秦青公路瓷厂桥、秦皇大街汤河桥、秦皇东大街立交桥、和平大街汤河桥、晨砻桥、新开河新桥、河北大街新开河桥、山东堡立交桥、东山立交桥等。在秦皇大街、建设大街、东港路、西港路、河北大街、燕山大街、文化路、北港路、红旗路等路上都有立交桥，跨越护城河、马坊河、沙河、汤河支流等河流上都有规模较小的桥梁，在市区的小街巷和乡村的道路上，也有规模较小的桥梁。在民族路、河北大街、东港路，各有一座过街天桥，是最近几年建成的，缓解了过往行人横穿大街的压力。

京山铁路线上，曾有两座跨越铁路的天桥，系解放后所建，比较矮小的一座称老天桥，位于民族路最南端，另一座称天桥，

老天桥。

1973年8月建成通车的第一座铁路立交桥——海港区文化路立交桥。

1986 年建成通车的和平北道（和平大街）立交桥。

1986 年建成通车的水门洞（河北大街）立交桥。

汤河红飘带与植物园之间架起的彩虹桥。

位置在如今的福寿里北侧，这两座桥现均已拆除。

如今，要说海港区路路都有桥，处处能见桥，这话并不为过。

交通运输

连接海港区与滨海大道的山东堡立交桥。

历史钩沉

【马车铁路】

在我国最早的铁路——唐胥铁路线上，曾有过可以作为笑话的情景：最初竟是用骡马在铁轨上拽着车厢行进，开车的不是火车司机，而是挥鞭杆子的赶车老板，当时被人讥笑为“马车铁路”。到了津榆铁路通向秦皇岛时，已经拥有了正规的机车。

唐胥铁路线上的马拉火车。

【汤河上的两座老桥】

1942 年，日伪临榆政府秉承侵华日军旨意，在京榆公路汤河上修筑了一座石拱桥，取名叫町田（日军头目的名字）桥，因为设计与施工质量较差，1945 年该桥被洪水冲毁。

秦皇岛最早的桥——贝雷式钢桥。

1946年，美军在原町田桥旁边自行架设了一座贝雷式钢桥。1967年本地政府在汤河上修建了规模更大的钢混大桥，那座贝雷式钢桥失去作用，作为危险建筑物被拆除。

【国共区通航】

民国三十八年（1949年）二月二十四日，上海《申报》发表一条消息，主要内容是："国共区通航成功，大上海轮归抵沪，载来燃煤四千八百吨，在秦皇岛停留日半，船员均未登岸。"

申報　中華民國三十八年二月二十四日

國共區通航成功
大上海輪歸抵滬
載來燃煤四千八百噸
在秦皇島停留日半船員均未登岸

開灤煤棧碼頭爆竹歡迎

中共人員登輪查驗

市長怒下手諭
勒令如限拋售

1949年，上海《申报》关于秦皇岛港口煤炭运输到上海的报道。

新闻媒体除了登载运来煤炭的消息之外，为什么要强调“船员均未登岸”呢？其实，这不难理解，当时已进入1949年，秦皇岛已经解放，成为“共管区”，而上海仍有国民党军队占据，是“国统区”。在两相敌对的区域间经商，当然要小心谨慎。由此可以看出，秦皇岛港口运送煤炭，对于全国经济起到的重要作用。

【河北大街汤河桥的变迁】

旧中国，汤河上没有像样的桥梁，有人在河道较窄的地方搭上几块木板或放倒一截树干就算是“桥”了。1958年以前，大汤河桥是由几块木板搭成的，仅有20厘米左右的宽度，小汤河是用四根铁轨翻过来并在一起凑成的，车辆根本无法通行。1958年，两道汤河同时建成了像样的木桥，一般的车辆可以通行了。1974年，同时对两道汤河桥进行改造，建成了钢混结构的大桥，桥面更为宽敞。1987年，在两座桥的旁边，又同时建起了两座新桥，桥梁质量和档次进一步提升。2003年，为了适应交通发展，大、小汤河桥再次改建，新建的桥梁更加美观、平坦、宽敞。

1952年的头道汤河桥。

1975年，改建为钢筋混凝土结构的汤河大桥建成通车，在施工现场举行了盛大的通车庆贺仪式，人们载歌载舞庆祝大桥建成。

位于海港区的汤河桥（1988年摄）。

2003年，汤河大桥改建完工，在桥两侧悬挂气球庆贺。

新改建的河北大街汤河大桥与道路融为了一体。

【第四章】

经济发展

大事要览

【一】1922 年，耀华玻璃厂正式建立。厂址设在铁道南（今滨海城社区）。

【二】1924 年，耀华玻璃厂建成投入生产，当年出口平板玻璃 8546 标箱。

【三】1949 年，秦榆市人民政府按照上级通知，开始实行以人民币为经营计算货币。

【四】1964 年，朝阳街百货大楼建成，正式营业，当时是本地最大的商场。

【五】1971 年，文化路百货大楼建成，正式营业，成为本地最大的商场。

【六】2016 年，一条环长城旅游公路出现在海港区境内，将北港镇、石门寨镇、驻操营镇的旅游景点串联起来。起点在北港镇出海路，终点至驻操营镇义院口，环线与直线总计长达 175.4 公里，这对全区的经济发展，尤其是旅游经济的发展起到极大的促进作用。

【七】2017 年，一条旅游铁路线动工改建，原港口铁路、国家铁路、地方铁路统一连线，南起海边码头，北至驻操营镇，建设一条从海边直达山区的旅游专线。我区南北各个景点连成一线，将会极大地促进旅游产业发展，海港区的魅力由此飙升。

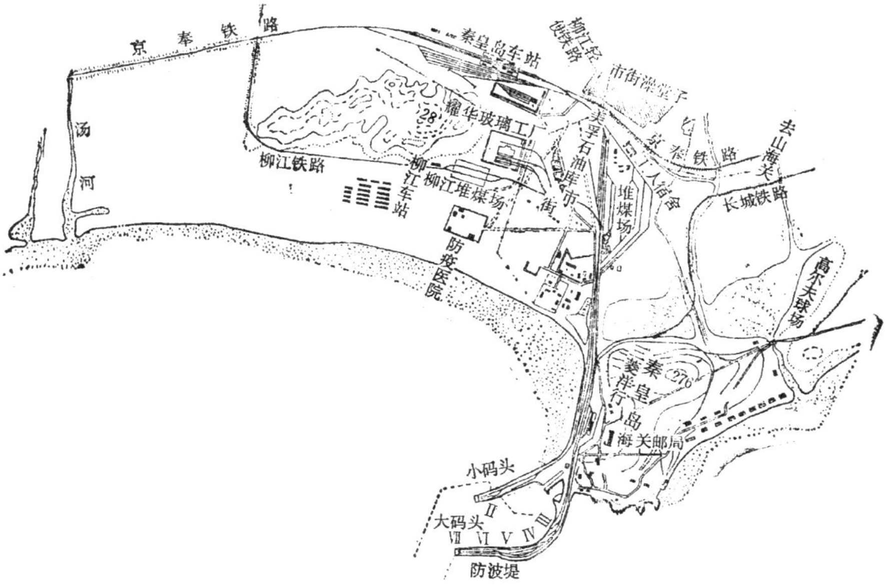

民国年间的地图标注了几处海港区最初的商业。

纵观整个民族的经济史，海港区算不上发达地区，不过，由于柳江煤矿的开采，港口、铁路和耀华玻璃厂的建成，也使这里的经济拥有自己的特色。

海港区最早的工业生产有两项，其一是在柳江盆地，那里采煤的历史可以追溯到唐朝，到了清朝和民国已经有了相当大的规模。解放以后，建立了大型国有煤矿，为国家的经济建设和满足人民需要做出了重要贡献。其二是在东盐务、南李庄一带，那里在明朝时期就有了晒盐场。后来由于海水退却，晒盐的营生停止。解放以后，在南李庄南面的海边建立了国有盐厂（后来改名为化工厂），20 世纪 80 年代初盐厂停业。

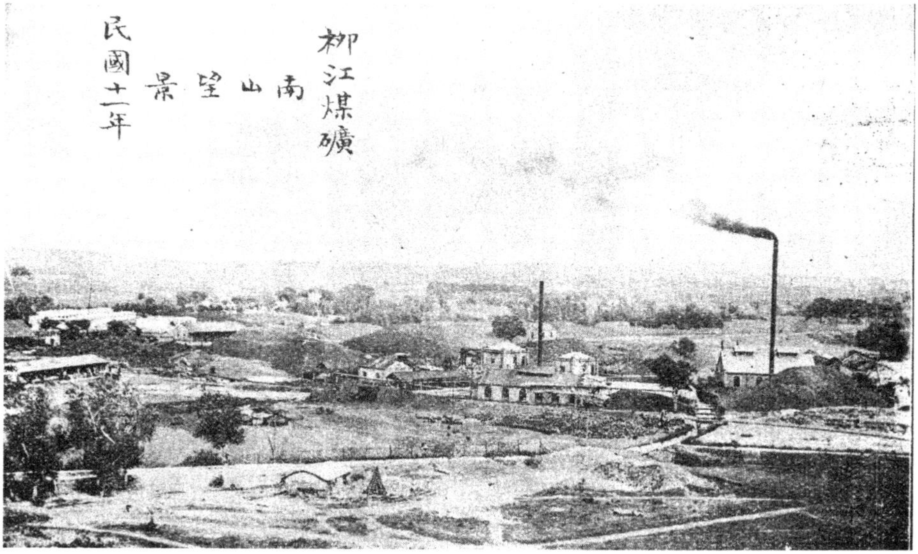

1922年柳江煤矿南山望景。

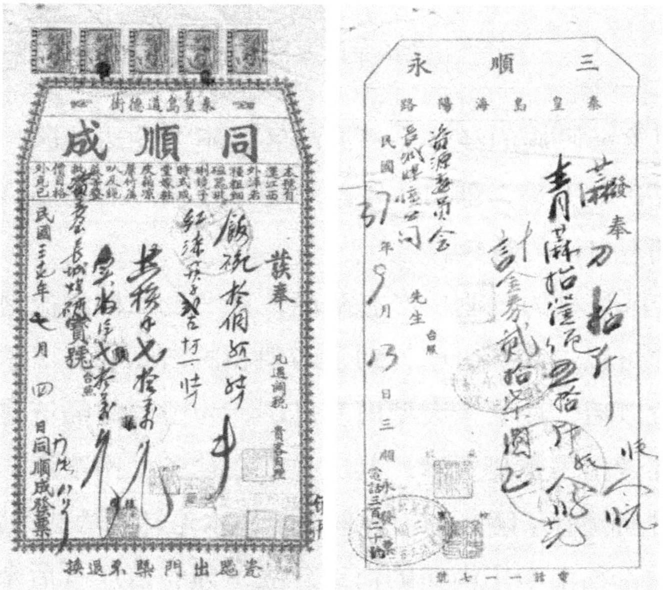

民国年间，长城煤矿与“三顺永”“同顺成”商号之间的往来票据。

耀华玻璃厂从1922年创立，直到新中国成立，再到改革开放新的历史时期，始终是秦皇岛地区的龙头企业，也被喻为“中国玻璃工业的摇篮”。在它的带领下，仅本区境内就曾同时拥有过二十几家玻璃企业，秦皇岛市也一度被称作“玻璃城”。“耀华，耀华，光耀中华”，这句实至名归的赞誉，曾经叫响整个亚洲建材行业。

然而，在旧中国，本区的其他工业基础却十分薄弱。民国初期只有几家能榨油、磨面的手工作坊，后来能铸造铁锅、道钉、犁铧等小型产品，再有就是能烧制砖瓦的土窑。后来又出现过针织品生产、皮革制品加工、木材加工、铁器修理、火柴生产等行业。因为工艺落后，生产能力低下，当时的秦皇岛，始终没能建成工业城镇，工业总产值与邻近的天津、唐山、锦州、锦西（今葫芦岛）相比逊色不少。

新中国的成立，为经济发展开创了有利条件。从20世纪50年代起，海港区境内企业如雨后春笋般相继建立，区属的、市属的、省属的、国家的比比皆是，玻璃、机械、食品、水泥、砖瓦、耐火材料、电机、机车配件、拖拉机配件、冶金配件、自行车配件、橡胶制品、火柴、针织纺织与服装、医药、化肥、印刷、造纸、炼油、铸造、陶瓷、五金、塑料、纺织器材、木器、皮革、工艺美术、白酒、电力、建筑业、运输业、捕捞业、养殖业等行业遍布城乡。国家实行改革开放政策之后，有西盐务的啤酒厂、黄北村的砖厂、石门寨的水泥厂等一批乡镇企业汇入到工业领域，同时也诞生了一些民营企业。所有企业几乎都为国民经济的发展做出了贡献。当然，经过后来的调整，又经再后来的改制，有些

20 世纪 50 年代，南李庄海边晒盐的场景。

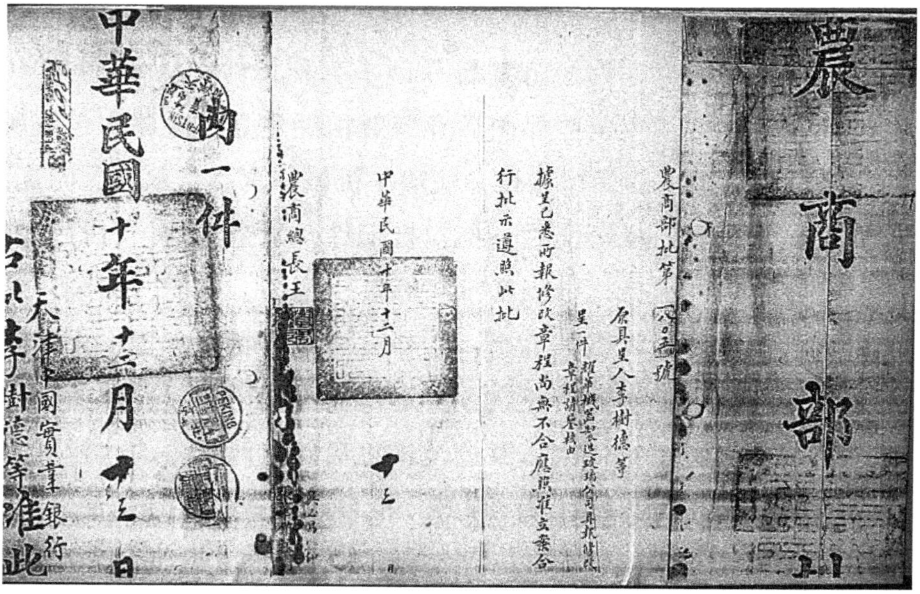

農商部

農商部批第　號

原具呈人李樹德等

據呈已悉所報修改章程尚無不合應照准立案合

行批示遵照此批

中華民國十年十二月

農商總長王

附一件

中華民國十年十二月十三日

北洋政府农商部发给耀华的建厂批准书。

民国时期的耀华采板厂。

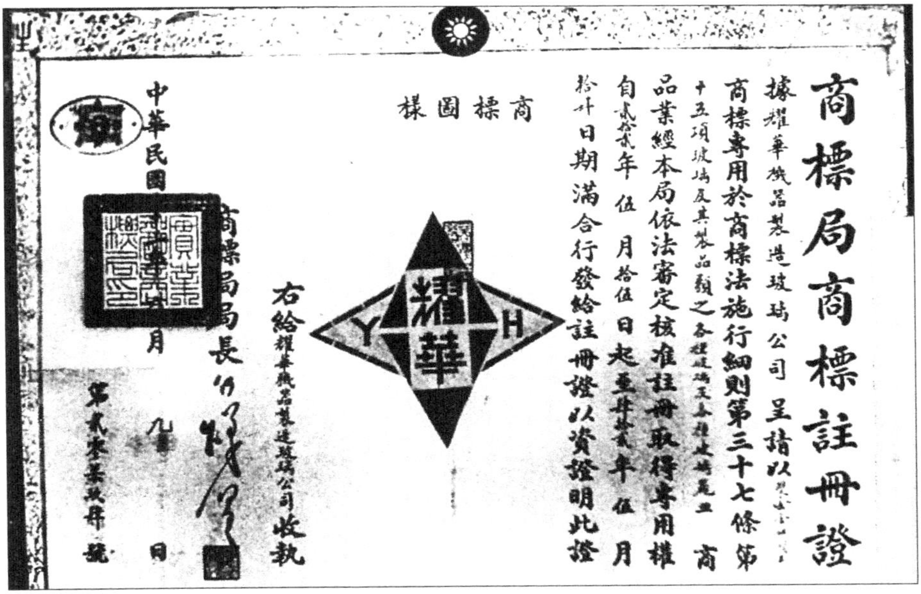

商標局商標註冊證

據耀華機器製造玻璃公司呈請以[illegible]

商標專用於商標法施行細則第三十七條第

十五項玻璃及其製品類之[illegible] 商

品業經本局依法審定核准註冊取得專用權

自貳拾貳年伍月拾伍日起至卅貳年伍月

拾卄日期滿合行發給註冊證以資證明此證

商標圖樣

右給耀華機器製造玻璃公司收執

商標局局長 [illegible]

中華民國[illegible]年[illegible]月九日

第[illegible]號

1933 年，耀华改用“双套金刚钻”商标。

1922 年耀华玻璃厂外景。

2000 年的耀华厂大门。

解放前，工人在窑上干活。

海港钢铁厂。

秦皇岛糕点厂。

建国木器厂。

秦皇岛火柴厂。

秦皇岛市第三塑料厂泡沫塑料生产线。

秦皇岛毛巾厂。

秦皇岛市针织内衣总厂。

企业已经转产，有些改变了所有制，有些搬迁到郊区或开发区，有些已经不存在了。

改革开放的浪潮中兴起的中信戴卡轮毂制造有限公司、中国-阿拉伯化肥有限公司、浅野水泥有限公司、奥科宁克（中国）铝业有限公司、方圆玻璃有限公司等企业，则代表了本区经济领域的新生力量，它们推动了本地新的经济增长与发展。

1985年6月，由中国、突尼斯、科威特三国合资兴建的大型氮、磷、钾（NPK）复合肥生产企业——中国-阿拉伯化肥有限公司落户海港区。

位于海港区东港路附近的戴卡轮毂制造有限公司，是中国中信集团公司于1988年投资组建的中国内地第一家铝车轮制造企业。2007年10月，进行股份制改造。2012年8月，正式更名为中信戴卡股份有限公司。

经过近30年的发展，公司目前已经成为全球最大的铝车轮和铝制底盘零部件供应商，国内汽车零部件行业出口量第一，全球汽车零部件百强榜第81名。

1985 年，中信渤海铝业有限公司投产。

2016 年，奥科宁克（中国）铝业有限公司揭牌。

农业是本区经济的另一重要支柱。在旧中国，这个渔家小镇几乎没有正经的农业，打鱼的和种菜的可以算作是早期的农民。当时，市民的农副产品，全靠一些商人从周边地区倒运进来。新中国成立后，国家在划分行政区域时考虑到了城市粮食与蔬菜的供应问题，适当地将周边农村划归为城市郊区，这样，我区的农业随之得以发展。最初的农业组织是生产队和生产大队，再上一级组织是人民公社。各个公社基本以种植玉米、高粱、大豆、白薯为主，有些专业种菜的生产队则以白菜、黄瓜、豆角、南瓜、茄子、西红柿为主。还有些生产大队搞些兼营，种植水果，如桃、苹果、梨等。那时，归提寨公社南大寺大队的水蜜桃就是远近闻名的产品。在沿海村庄，另一项副业是出海捕捞。如今，为了适应对海洋资源的保护和环境的保护，近海的捕捞作业正逐渐退出，改为海水养殖。

新中国成立后，农民到田地送肥料。

20世纪60年代，庆祝城市人民公社成立。

改革开放以来，我国农村不再实行“大锅饭”式的公社、大队、生产队三级所有管理体制，联产承包责任制不但解放了农业生产力，也解放了大量的农村劳动力，有一些农村已经率先进入城市化，有些农村劳力转行当了工人，有些村庄利用家乡山清水秀的特色创办了旅游产业。多元的发展思路，使我区农村有了更加美好的前景。

20世纪60年代，庆祝海港人民公社成立。

20 世纪 60 年代，人民公社交公粮。

20 世纪 60 年代，秦皇岛人民公社食堂饭菜评比会。

1958 年，在秦皇岛劳动人民文化宫举办秦皇岛十年建设成就展览会。

1959 年，贫下中农代表走出会场。

民国年间，在码头等活的黄包车。

民国年间，在码头附近摆摊的商贩。

秦皇岛一百多年前就拥有了港口、耀华玻璃厂、铁路等较大的产业，因此，经商活动在这里十分活跃。即使在旧中国，这里的商业也有过相对的繁荣。清朝光绪年间，本区就有了大小商铺几十家，一些外国人（如美国的美孚石油公司、英国的烟草公司等）也来港口附近经商。通过港口，外国的大米、食糖、纸张、西药等可以进口，本地的花生、核桃、板栗等也能出口。到了民国年间，本地的商铺增加到了六七百家，规模较大的有华昌东布店、永昌号米面铺、永记堂药店等。日本发动侵略战争后，日货充斥了市场，群众叫苦不迭。日本战败后，美国货又取代了日货的地位，在这段时期，民族商业受到排挤，不少店铺关闭。到了新中国成立前夕的 1948 年，商铺已减少到三百多家。

20 世纪初的秦皇岛商业街道。

20世纪50年代的秦皇岛送货郎。

位于海港区的人民银行旧址。

新中国成立后，国营商店开始建立，农村供销社应运而生，长城马路、朝阳街、西前街、海阳路等一些商业街出现了，过去的私营商店也变成公私合营。后来，河北大街、文化路、开滦路、海阳镇、石门寨镇都形成了商业中心。改革开放之后，乡村的、私营的、个体的商业店铺迅速崛起，海浪花市场、马坊市场、燕滨商场、亚泰市场、金三角市场、供销大厦应运而生。后来，马坊的金街、银谷商场、秦皇岛商城、华联商厦、现代购物广场、茂业大厦、广缘超市、家惠超市、天洋电器商场、苏宁电器商场、港城早市、海阳农副产品批发市场等相继涌现。如今，更有太阳城商业区、世纪港湾商业区以崭新的面貌迎送顾客，为这座旅游名城增色。

坐落在海阳路上的公私合营海港旅馆。

老天桥市场。

1971 年建成的海港区文化路百货商店，当时为秦皇岛市第二大百货商场。

1973 年建成的有“京东第一楼”美称的商业服务楼。

护城河旁的原二道桥市场。

20 世纪 70 年代建成的华侨商店里，商品琳琅满目。

20 世纪 70 年代，国营商店内的自行车只对华侨专供。

1984 年 5 月 14 日，秦皇岛第一家由农民开办的燕滨商场正式开业，商场内外人头攒动。

1984 年，文化路立交桥广场，市民正在参加文明礼貌宣传月活动。几年之后，这里改建成了海浪花市场。

1984 年 7 月 22 日，一个曾被认为是资产阶级腐朽文化的个体酒吧开业，时任市长顾二熊亲临剪彩并讲话，轰动全市。

20世纪80年代，形成了以海浪花商场为中心，海浪花市场、华联商厦、朝阳街百货大楼、东方红百货商店、五金交电公司等环绕的商业区。进入20世纪90年代后，随着金三角市场、供销大厦、秦皇岛商城等商场的兴起，城区商业经济进入快车道。

不同时期的天宝斋门店。

1986年7月1日，迎宾路上第一家中外合资酒店——信谊大酒店建成营业。

20世纪80年代，城市金三角正在兴起。

20 世纪 80 年代初建成的渤海商厦。

1993 年建成的渤海湾商品批发市场。

汇聚八方特色的太阳城商业区。

世纪港湾综合商业区，让市民尽享休闲购物的快乐。

旅游业也是一个重要产业，长城与大海的魅力是本区最好的旅游名片。本地山川秀丽，名胜古迹众多，历来深受游客们青睐。然而，真正形成旅游产业，则是在20世纪80年代以后。

位于东山海边的秦皇求仙入海处具有深远的历史渊源，依据明成化十三年（1477年）所立的“秦皇求仙入海处”石碑所建，于20世纪90年代初建成。景区内陈列着大量的古代文物，有残碑、陶罐、瓦当、砖瓦碎块等，并用雕塑与绘画展示了秦始皇于公元前215年东巡至此的系列活动，也大量描绘了我国战国时期的传统文化和社会风情。

市民在逛码头。

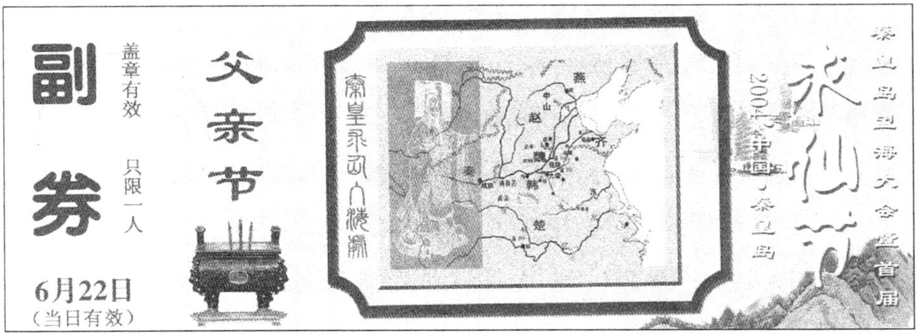

第一届“求仙节”门票。

“求仙节”主场地。

位于西浴场西侧海边的新澳海底世界，向游客们展示出千奇百怪、五彩斑斓的海底世界。这里，海豚尽兴地为游人载歌载舞，鲨鱼同潜水员亲热拥抱着畅游水下。透过透明的屏障，人们如同置身海底，与各种海洋生物近距离接触，探索海洋的神秘。

位于北港镇的圆明山景区，以其妩媚的花朵、绿色的植被和多彩的果实吸引游客，也用圆明寺的清幽之气、清静之心安抚游客的身心。

位于石门寨镇的老君顶景区，拥有青翠的山峰和明澈的河流，你来游山采摘、池边垂钓、品尝山珍野味，都能如愿以偿。最有意思的莫过于在龙须河上驾舟漂流，有惊无险的刺激和开心，会令你心花怒放，乐此不疲。

新澳海底世界海豚表演馆。

游客在老君顶景区驾舟漂流。

位于驻操营镇的董家口长城景区和板厂峪长城景区，古老的烽火台和城墙修旧如旧，来访者既可一览万里长城的古朴雄姿，又可饱览燕山余脉的山川风貌，抚今追昔，感叹不已。

位于杜庄镇西北的温泉堡景区，既有温泉供游客沐浴，又有长城烽火台供人眺望游览，重修后的汤泉寺气势恢宏。

位于石门寨镇的傍水崖景区，有古战场遗迹，有关帝庙遗址，有蓊郁的山峦，有清澈的河水，也有古老的故事流传至今，游人至此，不仅心旷神怡，更会感叹不已。

此外，当地各个村庄的农家饭菜也别具特色，慕名而来的游客络绎不绝，品尝过后让人难以忘怀。

观鸟，作为旅游活动的一项有趣内容，在海港区境内也可得到体验。在东山、圆明山、汤河、石河、新开河等拥有湿地的地

板厂峪云海美景。

董家口长城。

方，每年的鸟类迁徙季节，都会有数量可观的天鹅、鹤等珍贵候鸟光顾。本区内可以见到的鸟类可达400余种，主要有喜鹊、鹞鹰、海鸥、乌鸦、猫头鹰、翠鸟、野鸭、野鸡、家雀、黄鹂、鹭鸶、斑鸠、白头翁、野鹌鹑、燕子、柳莺、啄木鸟等。鸟的数量是地区环境的晴雨表，有了美好的自然环境，小鸟们才会光临。

市民及游客在湿地观鸟。

环长城旅游公路项目是海港区北部片区景观大道建设项目之一，途经北港镇、石门寨镇、驻操营镇，道路途经地区山场面积广阔、历史底蕴丰厚、自然景观优美、旅游资源丰富。道路分环线和支线，环线起点为北港镇出海路复

线麻念庄，终点至驻操营镇义院口，全长 58.6 公里，支线全长 116.8 公里，总计 175.4 公里，项目总投资 7.21 亿元。环线及支线均按四级公路标准建设，路面宽 6 米，路基宽 6.5 米。

历史钩沉

【海港区第一家民营股份制企业——柳江煤矿】

远在唐朝时期，便有人在柳江地区挖掘过煤炭，不过，那时没有形成规模，而且煤炭的用途也不广泛。1914 年 6 月，抚宁人李治等三人组建了柳江煤矿公司，当年 9 月向当地政府注册，矿区面积 3108 亩。随后又将黑山窑张德动的 1207 亩矿区并入过来。1915 年 9 月，公司招股 20 万元，其中 15 万元用于修建柳江铁路。1917 年，因资金缺乏，上海煤商刘鸿生、祝伊才、韩芝根等加入新股 42 万元，与原来李治等注入的 30 万元合计在一起，重组柳江煤矿公司。设总机关于上海，设董事会主持其事务，并聘请一名经理负责管理煤矿。此后，煤矿一切工程逐渐就绪，营业日渐发达，年有盈余。追溯这段历史，当时的柳江煤矿是本地最早的民营股份制企业。

柳 江 公 司
華商柳江煤鑛鐵路股份有限公司
今收到
記股東名下股本 五 股計銀圓 五百 圓整
董事會會長
董事
董事
中華民國七年 月二十一日 字第六十五號
股份章程

民国七年（1918 年），华商柳江煤矿铁路股份有限公司发行的伍佰元股票。

【解放前耀华玻璃厂的三个“合办时期”】

中比合办时期（1922—1936）

企业处于初创阶段，工厂自行招工。所用员工中，华人和洋人工资待遇相差悬殊，工头的工资是普通工人的3倍，职员工资是普通工人的30倍，而厂长经理的工资是普通工人的230倍。因此，导致了1925年耀华厂史上的第一次工人罢工，迫使公司答应了工人每天增加工资1角钱的条件。1931年5月，工人们为了争取福利待遇，组织了“秦皇岛耀华玻璃厂增资运动委员会”，就增薪、住房、伤病待遇、设子弟学校、建立工人俱乐部等事项，达成劳资双方《劳资协议契约》，使耀华有了子弟小学，职工生病能够到开滦医院治疗，并建起了工人俱乐部。

中日合办时期（1936—1945）

1936年9月，在中方毫不知情的情况下，日本旭硝子玻璃公司（旭硝子株式会社）暗地里买下了比方所持有的耀华厂全部股权（比方事先并未同中方协商，也未透漏任何消息就将股份出卖，比利时人做了一件不光彩的事）。因此，耀华玻璃由中比合资变成了中日合资的企业。1941年2月，太平洋战争爆发后，开滦煤矿被日本军方占据，耀华的经营管理权全部控制在日本人手中。直到1945年日本战败投降，日方被迫将所持耀华股份交给中国，中日合办时期到此结束。

官商合办时期（1945—1948）

抗日战争胜利后，耀华玻璃的日方股份由国民党政府经济资源委员会接收，这些股份作为官股，原来的中方股份称为商股，耀华由此进入了官商合办时期。由于国民党发动内战，百业凋零，

民国时期的耀华玻璃厂。

20 世纪 70 年代的耀华玻璃厂。

20 世纪 80 年代的耀华玻璃厂。

该政府的经济资源委员会决定企业向南方转移。1947 年，耀华在上海修建两机平板玻璃窑，1948 年，又将 4 台引上机、2 台煤气炉等 120 吨设备从上海运到台湾。而建在秦皇岛的玻璃熔窑于 1948 年 10 月被迫提前放水（玻璃液，俗称玻璃水），进行冷修。上海的玻璃窑于 1949 年主体结构将要完成时却停止了施工，而转移到台湾的设备却无人去安装。

解放后，新中国政府没收了耀华玻璃的所有官僚资本，才使耀华重新焕发生机。

加工钢化玻璃。

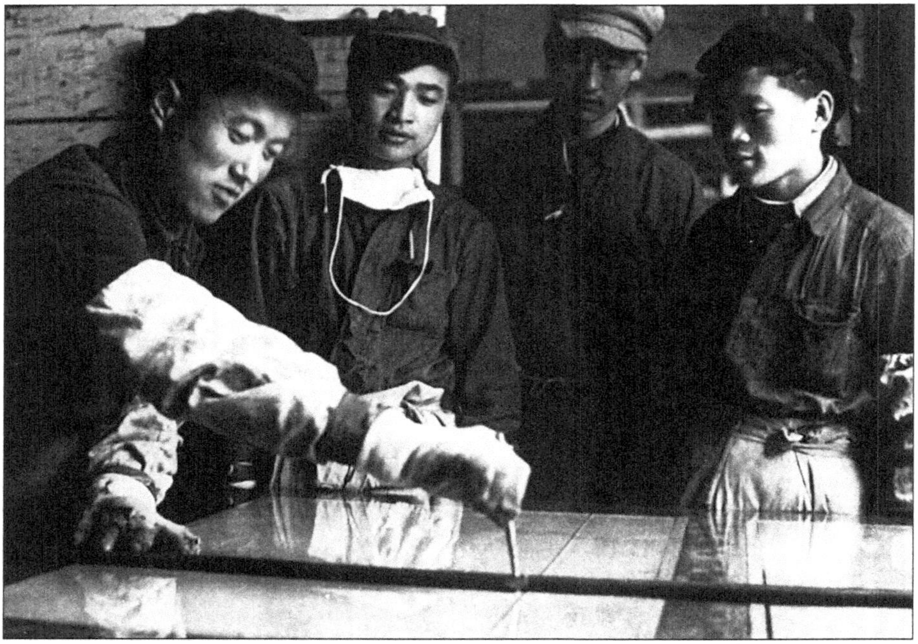

20世纪60年代，耀华切片工人在工作。

20世纪70年代初的切片车间。

1996 年 3 月 8 日，浮法示范线点火仪式。

原耀华浮法玻璃生产线外景。

2002年3月27日，随着炉窑放水，炸倒烟囱，耀华厂告别老厂区。

耀华旧址改建成了玻璃博物馆。

在海港区北部工业区建起的耀华玻璃工业园区。

【海港区制盐的历史】

早在明洪武二年（1369年），明朝就在今海港镇东盐务、南李庄一带建起了归化盐场，当时，管盐业的官员称为盐课司大使，这位官员的驻地被当地人俗称盐衙门，旁边的村庄就叫了盐务村。到了清朝同治年间（1861～1875年），归化盐场开始逐渐萎缩，到1914年，终于结束了长达500多年的生产历史。

解放后，在海港镇南李庄一带建起了国有的秦皇岛盐场。到了1960年，年产原盐达到3400吨。1978年，盐场因研制海水提钾项目，改名为秦皇岛市化工厂。1983年，因秦皇岛港码头一期工程占用土地，该厂停产。

【海港区的工业管理体制】

1953年，市供销合作总社负责领导全区的手工业社会主义改造工作。

1954年，成立区手工业联社。

1958年，成立区工业科。

1974年，区工业科改为市二轻工业局海港分局。

1975年，二轻工业局海港分局改为区工业局。

1982年，区工业局改为区经济委员会。

1985年，成立区乡镇企业局。

【燕山与雪花的结缘】

1985年，西盐务村农民筹资兴办起一家燕山啤酒厂，生产冰啤酒、白啤酒、特制啤酒等20多个品种，产品不仅占据本市市场的“半壁江山”，还占据了东北、华北大部分市场，并出口到俄罗斯等东北亚地区。

2005年12月，燕山啤酒厂与华润雪花啤酒中国公司合作，更名为华润雪花秦皇岛分公司。

“秦雪”冰啤酒商标。

燕山啤酒厂生产车间。

2007年4月，华润雪花啤酒（秦皇岛）有限公司正式挂牌。

倒挂长城。

北齐长城遗址。

【古长城的两处景观】

其一，是建在板厂峪景区的“倒挂长城”。在海拔800余米的悬崖峭壁上，依山势砌筑城墙，形如倒挂，有的段落其陡峭程度接近了90度角。板厂峪的倒挂长城是整个万里长城工程极少见的单片长城，极为壮观。城墙马道上每隔两三米远就有一条排水沟，每条沟靠外一端都有一个吐水口，其作用有两个，一是可以排走雨水，二是可以施放雷石。

其二，是坐落在东、西连峪村（过去，连峪是一个村，1962年分为东、西两村）外山里的“北齐长城遗址”。北齐王朝立国的年代是公元550年，比修筑了万里长城的明代要早得多，它的“寿命”并不长，只存在了28年。但是，该朝代修筑长城的次数之多，动员的人力之众，修城墙的长度之长，却为历代所罕见。跨过本区境内的北齐长城东起山海关，西过河北省迁西县喜峰口、北京密云区古北口，直抵张家口赤城独石口。由于年代久远，这段长城如今仅存遗址。

长城后裔到义乌寻根祭祖。

【秦皇岛和义乌的历史渊源】

2010 年 9 月，秦皇岛市各家媒体报道了这样一条新闻，一支由数十人组成的队伍从秦皇岛出发，到达了浙江省义乌市，这些人去干啥？是打工，还是做买卖，或者是旅游？原来，他们是去寻根祭祖的。

事情还得从古代的明朝说起。董家口长城始建于明朝洪武年间（1368 ~ 1398 年），起初城墙矮小，只有石筑实心敌台。到了明朝隆庆年间（1567 ~ 1572 年），戚继光担任了蓟镇总兵，为了有效地御敌于界外，他组织军民加固城墙，重修敌台。戚将军了解到当地的长城守军战斗力薄弱，十分担忧，便特意从浙江义乌招募来三千名军士。这支队伍兵强马壮，很快就成为长城守军的主力，在多次战斗中获得胜利。后来，这些义乌兵多数人留了下来，在长城脚下安家落户，繁衍生息。如今，当年那些义乌兵的后代们，就生活在长城脚下的一些村庄里。

随着时代的进步，人们保护长城的意识愈发强烈，对长城的研究越发深入，不少人因此得知自己是义乌兵的后代，便产生了寻根祭祖的想法。在市里有关部门的多方协调组织下，终于促成了这次活动。近几年，秦皇岛和义乌两地互有来往，直接促成了义乌小商品城在海港区落户。

【斑鬣狗化石名扬天下】

2003年，板厂峪村在修整通往长城敌楼“杨来楼”道路的过程中，一只獾钻进了路旁古洞，由此引发了对古洞连续多年的挖掘。随着挖掘的深入，原本洞口窄小、常年被泥沙封堵的岩洞豁然开朗，高达近30米的大洞连续出现，其中一个洞曲折幽长，大约有80余米，名为灵仙洞。

2006年年底，灵仙洞内出土了1.1万年前灭绝的斑鬣狗头骨化石。其后，又陆续发现斑鬣狗的其他化石。我国唯一出土的保留完整的斑鬣狗化石，是在北京周口店遗址发现的，但是“二战”期间已经遗失。而板厂峪村出土的斑鬣狗化石是亚洲唯一完整的斑鬣狗头骨化石。经过中国科学院古

斑鬣狗化石。

脊椎动物与古人类研究所专家的努力，灵仙洞内发现的两具斑鬣狗化石被完整修复。修复完好的斑鬣狗化石由中科院收藏，中科院的专家特意制作了两具仿真标本送回板厂峪，现保存在长城文物展馆内。斑鬣狗化石的发现让板厂峪村声名远播。

【板厂峪和它的古迹】

板厂峪是个充满了古迹的村庄，这些古迹绝大多数都和长城有关。2002 年，文物管理部门组织境内文物考察，在板厂峪村外发现了明长城砖窑群，当年便已查明 66 座，一时间，引起了国内外史学界和文物部门的广泛关注，被称为中国长城考古史的重大发现。

长城砖窑遗址。

古塔、古松及复建的天然寺。

在现已挖掘的两座砖窑内，砖窑由窑室和窑道两部分组成，窑室内前有火膛，后有火床，窑室与窑道间有焚口，窑道下有风洞。窑床上码砖15层，每层152块。每块砖的长度36厘米、宽17厘米、厚9厘米，色泽为青灰色。这些砖与村外长城敌楼所用的砖完全相同。据当地参与挖掘古砖窑的人员介绍，现已发现了260多座明长城砖窑遗址。此外，在板厂峪周围，还有古代的采石场、石灰窑、炼铁厂、石雷库等遗址。

除了较大面积的遗址之外，当地也发现了一些小件文物，如石雷、石炮、镇水兽、各类长城砖、火铳、砖制砚台、泥土烧制的象棋子、油灯等。看到这些文物，游人便可以联想到当年驻守长城将士们的生活情景。

收藏于板厂峪长城文物展馆内的长城文物。

【柳江地学博物馆】

柳江地学博物馆位于石门寨镇上庄坨村，由地球科学厅、柳江盆地地质遗迹厅、岩矿化石标本厅、秦皇岛国家地质公园景观厅、多媒体报告厅5个单元组成。博物馆运用图版、视频、模型、仿真场景、实物标本等手段，揭示了宇宙及太阳系、地球结构、地质作用、生物演化、柳江盆地海陆变迁及其宝贵的地质遗迹资源、秦皇岛地区美丽的地质自然景观。展示内容涵盖了地球科学、柳江瑰宝、岩矿化石标本赏析、秦皇岛地质风光等内容，融科学性、知识性、观赏性和趣味性为一体。

柳江地学博物馆是旅游观光和科学研究紧密结合的殿堂。

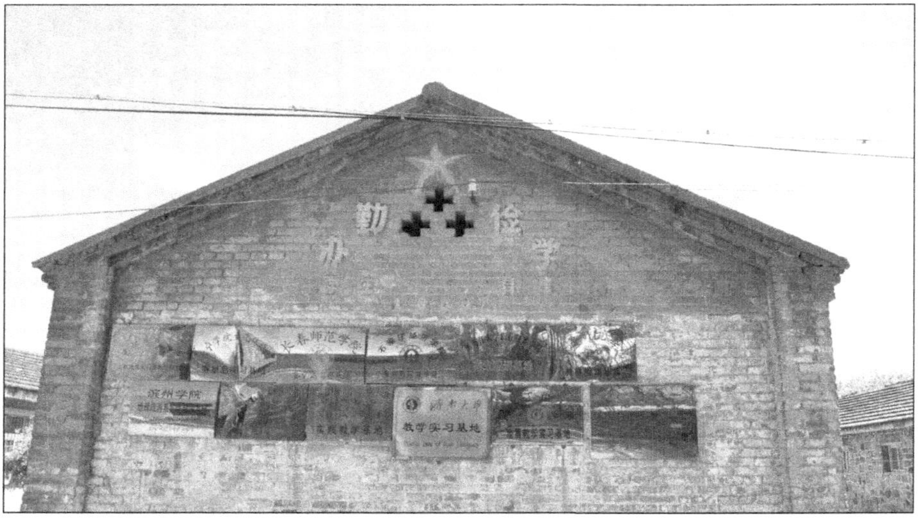

1958 年，学生自建的校舍上留有“勤俭办学 学生自建”的字样。

游客在柳江地学博物馆参观。

【第五章】文化教育

大事要览

【一】1915年，秦皇岛创办了有史以来的第一所小学（创办人白辅廷，校名无据可查）。1918年该校改名为民意小学。

【二】1920年，秦皇岛第一个戏院——普乐茶园建成（解放后建成海港礼堂，后改为新闻影院）。

【三】1931年，大中华电影院建成，后改称亚洲电影院，1950年改称人民电影院。

【四】1964年，西白塔岭农民郭学渊创作的小话剧《女羊倌》（由高明阳改编），参加全省文艺汇演并获奖。

【五】1965年，话剧《飞向海洋》在北京怀仁堂演出，并获得省农民业余文艺汇演奖。作者仍是本区西白塔岭农民郭学渊。

【六】1985年，东北重型机械学院秦皇岛分校建立，这是海港区西部大学城开始设立的标志。1997年，东北重型机械学院整体南迁至秦皇岛，更名为燕山大学。此后，更多的高等学府相继在本区落成，海港区西部大学城迅速崛起。

【六】1986年，秦皇岛市图书馆正式开放，原址在迎宾路旁。2007年，最新的秦皇岛图书馆在秦皇岛文化广场建成，面积为11000平方米，拥有书籍45万余册。

20世纪30年代，新民会在秦皇岛天乐大剧院举行周年纪念会。

古时候，我国沿海一带是人烟稀少的偏远地区，因此，海港区的发展也是同外来人口的介入同步的。其文化主要是融汇了东北地区、京津唐地区和浙江、山西、山东等省份的地域文化。过去，人们不仅物质生活贫乏，文化生活也很单调，当地群众喜闻乐见的娱乐形式有评书、二人转、皮影、京剧、评剧、秧歌等。

解放前的雨来散说书场景。

1952年，秦皇岛街头上演活报剧《保卫和平》。

新中国成立以前，本地能称得上文化设施的地方并不多见，最初有景乐茶社、吉祥茶社、普乐茶园、雨来散说书馆等几家，均为私人开设，除了卖茶水，主要用于说书、演皮影等。到了20世纪的30年代，随着人口的发展，观众增加，又出现了天乐大戏院、光明电影院（由普乐茶园改建），可以演出一些京戏、评戏和电影。

解放以后，本地经济快速发展，人口不断增加，人民政府逐步加大文化投资，先后建成了新闻影院（原名海港礼堂）、人民电影院、人民剧场、道南礼堂、工人文化宫等。与此同时，一些较大的企业也相继建立了工人俱乐部，如：港口俱乐部、铁路俱乐部、耀华俱乐部、耐火厂俱乐部、电业俱乐部、商业俱乐

20世纪50年代，秦皇岛回国志愿军在三角花园观看演出。

始建于1920年的“普乐茶园”，1969年更名为“新闻影院”。

20世纪90年代的新闻影院的宣传橱窗。

1965 年在天乐大戏院旧址上新建的人民剧场。

1979 年落成投入使用的人民影院。

1958年8月间，两个女孩在新华书店门前捧读刚刚出版的《红旗》杂志第6期。画面上有当时的电影《英雄赶派克》预告海报和“祥云里”标牌。

部、轻机厂俱乐部、造纸厂俱乐部等，这些设施极大地活跃了广大群众的文化生活。由于文化设施的建立，看电影、看戏、听广播逐渐成为群众的爱好，人们喜闻乐见的形式也不断增多，相声、话剧、歌曲等被越来越多的人接受。一些企业和农村经常组织群众举办业余演出活动，并创作出大量的小话剧、对口词、三句半、表演唱、数来宝等新型节目。在“文化大革命”期间，企业、农村、学校、军营几乎都组建了毛泽东思想宣传队，排练出大量文艺节目，用文艺形式宣传毛泽东思想，歌唱祖国，表彰好人好事。尽管当时节目内容有些单调，却也丰富了群众的业余生活，培养了一些文艺人才。

另外，区文化馆、市群艺馆、新华书店、小海燕评剧团、市图书馆、秦皇岛日报社、秦皇岛人民广播电台、秦皇岛电视台、玻璃博物馆等文化单位建立并积极开展工作，很快就为本地文化工作承担起主导作用。

如今，群众性的文艺活动方兴未艾，市区内的每一座公园、花园、广场和路边、河边的空地，几乎每

20 世纪 50 年代，饰演“白毛女”的田华（第二排右五）来到秦皇岛市，与第三小学师生合影。

20 世纪 50 年代，秦皇岛评剧团演出剧照。

1964 年，小海燕评剧团演出剧照。

1980 年 2 月，耀华业余演出队在全省率先排演了大型话剧《报春花》，这是一出挑战血统论，党委书记支持出身不好、连续生产 40 万米无次布的织布女工成为劳模的大戏。

20 世纪 70 年代，海港区前进大队的村民在村春节晚会上表演节目。新中国成立后，海港区的群众性文化活动开展得比较广泛，音乐、曲艺、诗歌、样板戏、故事等文化节目创作数量逐年增加。下图为村民兴致勃勃地观看村大队的春节晚会。

1984 年春节，市民在当时的市委大院门前欢庆佳节。

20 世纪 80 年代，知青学习班正在进行歌咏活动。

1986 年 8 月，秦皇岛图书馆建成开馆。

1992 年除夕夜，乘客在候车室看春晚。

天都有大量的群众前来跳舞、扭秧歌、唱歌、唱戏、演奏器乐、练健美操，人们自娱自乐，尽享祥和。尤其到了傍晚，参加的人数众多，热闹非凡。不少社区设有文化活动室，成立了业余艺术团、舞蹈队、歌舞团，居民们或演唱，或挥毫书画，或探讨诗词韵律，或打乒乓球，生活充满乐趣。文艺活动得到了党和政府及文化部门的大力支持，在普及的基础上得到了提高，除了自发分散的演艺以外，形成了每周举行的“彩色周末”活动，各路高手集中登台汇演，令市民和外地游客大饱眼福。

在海港区，群众性的创作活动也有过辉煌。在20世纪60年代初，我国的故事创作成就显著，最著名的有两个城市，一个是

“彩色周末”活动中，演出人员表演歌舞。

上海市，另一个就是秦皇岛市，形成了南有上海、北有秦皇岛的格局。那时，本地在册的故事员就有1000人，故事员从讲书上的故事开始，逐步发展到讲自己写的故事，他们活跃在工厂、街道、田边、军营，用故事的形式宣传新思想，宣传英雄模范人物，宣传新社会带来的新变化。本市的故事活动引起广泛好评，在全国产生了影响，受到了中宣部、中国文联的重视，也得到了一些著名文艺家的赞许。这项有益活动，直到“文革”时期才被迫停止。

除了讲故事、写故事之外，本区的文学、书画、音乐、摄影创作也都取得过优异成绩，在全国和全省获得过奖励。

海港区这片山清水秀之地，先后孕育了众多享誉全国的文艺才俊。温锡莹在新中国成立前是话剧演员，新中国成立后投身电影事业，演出过《林则徐》《沙漠里的战斗》《万紫千红总是春》

1987年出版的《秦皇岛新故事集》。

1991年出版的《秦皇岛新故事选》。

1963年，著名画家贾克里（右）指导青年美术工作者创作。

2002年，刘秉义回到家乡演出，接受《秦皇岛日报》记者采访。

《庐山恋》等数十部电影。董辰生擅长中国画，他长期担任《解放军画报》美术编辑，是新中国的第一代画家，他的写意人物画全国一流。刘秉义堪称新中国的第一代歌唱家，他那一曲《我为祖国献石油》唱红大江南北，鼓舞了几代人。歌唱家王文忠身为军旅歌手，极具天赋，曾被誉为中国十大男高音之一。而青年歌唱家田毅则是后起之秀，他在改革开放之后登上乐坛，在军内外均有重要影响。影视演员储智博从业余走上专业，他在多部影片中塑造的“硬汉”形象，撼动着观众心灵。评剧演员韩剑光凭实力走进中国评剧院，他在剧中饰演的骆驼祥子、张大民等角色生动感人。小品演员尚大庆也是部队文艺工作者，他多次参加央视春晚，其演艺享誉军内外。这些艺术家都是从海港区走

1962年，我市著名摄影家、老美术工作者罗大伟创作的版画作品《秦皇岛外打鱼船》。

向全国的。

本地文化还有一个独具特色的活动，就是一年一度的“望海大会”。

从古到今，每年的农历五月初五，本地群众都有“望海”的习俗，秦皇岛港建成之后，又俗称为“逛码头”。每当临近五月初五，港口的管理者都会开放码头，供群众参观游览。与南方地区的包粽子、纪念屈原的活动有些不同，本地的望海是为了祈福。因为这里是秦始皇拜神求仙之地，前来祈福，乃芸芸众生之心愿。如今，每年的望海大会仍如期举行，声势更为浩大，内容更加丰富多彩，不仅本地群众喜欢，外地游客也纷纷慕名而来。

宗教活动也是文化的一部分，体现的是信仰自由。过去，本区曾出现过一些寺庙、教堂等，如文昌阁（海阳镇）、老爷庙（海港镇）、东大庙（现今秦皇小区）、安子寺（现今西港路）、庆

市民及游客在“望海祈福文化旅游节”上感受海洋文化。

龙舟竞渡是海港区一项非常有特色的民俗文化活动。

福寺（驻操营镇）、尼姑庵（驻操营镇）、关帝庙（石门寨镇）、玉皇庙（前进村）等，这些古迹皆因年久失修，有的已不复存在，有的只剩下了遗址。如今，经过保护或修缮仍存在的较大寺庙有清真寺、法云寺、圆明寺、汤泉寺等。另有两座天主教堂，一座位于海滨路附近，另一座位于东港路新开河附近。

在漫长的封建社会，海港区沿海一带人烟稀少，这里的教育工作起步较晚。最早的教育起源于清朝，那时本地开始有了私塾。这种私塾最早出现在某一村庄，后来就有一些村庄效仿，使私塾

新中国成立前海阳镇的文昌阁。

1987 年 11 月 7 日，由科威特援建的海港区清真寺落成。

在海港区新店子村北复建的法云寺。

接连出现。当然，由于经济实力和师资问题，这种私塾现象总是你起我落，形成不了像样的学府。直到民国，本区才出现了正规的小学校，不过，那也只是初级小学，后来又出现了两所初级中学。但是，由于国运衰竭，教育事业落后，仍难改变失学的孩子多、文盲多的普遍状况。

新中国成立之后，党和政府极为重视教育事业，大力普及小学教育，积极发展中等教育，同时普遍开展业余教育（扫盲班、识字班、速成班等），才使教育

1928 年创建的秦皇岛开滦小学男校。秦皇岛解放后，开滦小学男校、女校与新生小学合并，统称为秦皇岛开滦小学。1962 年，更名为青云里小学。上图为民国年间开滦小学女校旧貌，下图为民国年间开滦小学男校。

事业走入了正轨。后来，教育工作进一步发展，各级学校相继建立，较大的企业也建立了中小学校。不仅城市区有了多所初级和高级中学，农村也达到了村有小学、公社有中学的状况。

真正体现本地教育事业腾飞的，是市区西部大学城的崛起。

从秦皇岛市被列为我国首批沿海开放城市之日起，在党和政府的重视和教育管理部门的努力下，一批高等院校在河北大街西段相继建立。燕山大学、大庆石油学院（今东北石油大学）秦皇

清光绪年间的1903年，清学部颁布《奏定学堂章程》，要求将民间庙宇一律改为学堂，绅民建学堂者予以奖励。1905年，西盐务小学建校。1909年，海港区安子寺村李慎之老先生办的专延馆改名为安子寺小学堂。

20世纪50年代的安子寺完全小学。

20世纪50年代，秦皇岛市立第一完全小学庆祝六一儿童节。

20 世纪 50 年代的青云里小学（原秦皇岛开滦小学）。

20 世纪 50 年代，青云里小学师生在上课。

20 世纪 50 年代的青云里小学课间。

20 世纪 50 年代，秦皇岛体校教练讲课。

1958 年 2 月，海港公社办的幼儿园。

20 世纪 60 年代初的职工夜校。

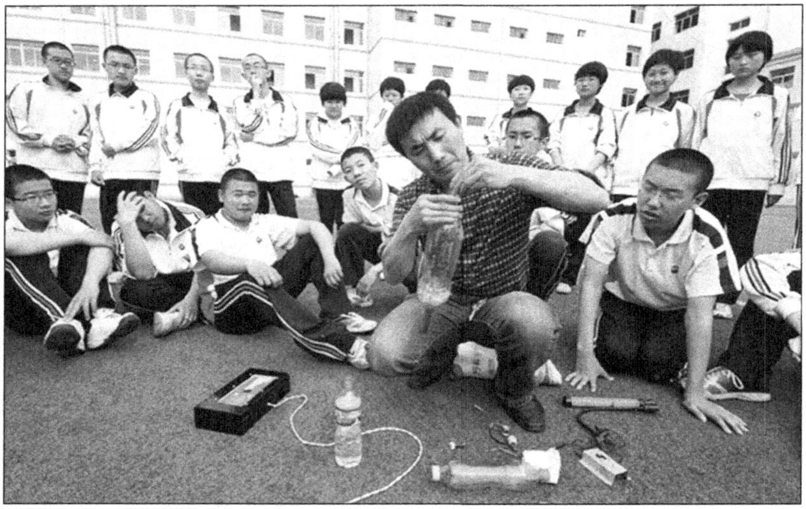

20世纪70年代，四中教员王殿岐用一幅年画描绘当年师生对现代化校园与高科技教学设施的渴望。（上图）

2012年，八中老师黄宝海带领学生在校园内进行科学实验教学。（下图）

照片对比向人们诉说了海港区改革开放后教育事业发生的变化。

目前的海港区各中小学校，全部配备了电教设施，城区建起了青少年活动中心，农村建起了乡村少年宫。30年前人们只能依靠想象描绘的科技教学梦，如今早已梦想成真。

秦皇岛市第一中学

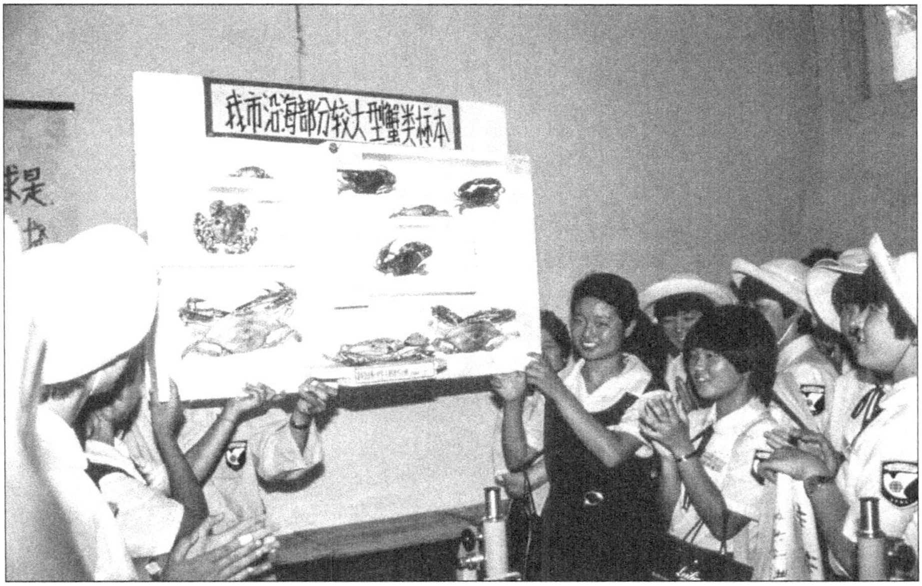

中日学生共同参观秦皇岛地方海洋生物标本。

岛分校、东北大学秦皇岛分校、河北建材职业技术学院、河北科技师范学院、中国环境管理干部学院（今河北环境工程学院）等。这些高等学府不断发展，师资力量不断增强，不仅对本地教育事业起到极大的促进作用，也为整个国家培养了大量专业人才。如今，这里的高校有专科生、本科生、研究生，甚至能接收外国留学生。除了西部的大学城，市区内还有河北农业大学海洋学院、秦皇岛广播电视大学、秦皇岛市高级技工学校等学府，也有秦皇岛市中等专业学校、秦皇岛市卫生学校等中等专业学校。

此外，幼儿教育遍布城乡，成人教育、老年教育也有相应的学府，秦皇岛老年大学被国家教育部门评为全国一流老年大学。

今日的燕山大学校园。

燕山大学连接东西校区的立交桥。

目前，海港区境内有义务教育阶段国办中小学 86 所，其中初中 21 所，小学 64 所，九年一贯制学校 1 所。全区中小学在校生 7.4 万人，教职工 6000 余人。教育事业迎来了辉煌时代，必将走向新的辉煌。

文化气氛、学术气氛、科学气氛洋溢在港城。功在当代，利在千秋。

东北大学秦皇岛分校教学楼。

如今的河北科技师范学院。

历史钩沉

【农民故事员赵国强】

解放以后，秦皇岛的故事创作和演讲在全国产生影响，形成了“南有上海，北有秦皇岛”的格局。1965 年夏天，海港区安子寺村故事员赵国强到北戴河，特意为当时的中宣部副部长周扬、省委宣传部副部长远千里演讲自编的革命故事，深受赞誉。

本地的故事演讲与创作活动，到“文化大革命”开始时被迫停止。

【明星与秦皇岛】

1982 年的暑期音乐会上，著名军旅歌唱家马玉涛在演唱。

秦皇岛是旅游避暑胜地，又是京城的门户，借交通便利、气候宜人的条件，多年来，常有著名文艺家来秦献艺，令本地文艺爱好者受益匪浅，使本地群众大饱眼福。据不完全统计，相继来过的文艺家有：尚小云、荀慧生、李万春、李胜春、李庆春、谢添、高元均、韩少云、筱俊亭、老舍、曹禺、阳瀚笙、侯耀文、石福宽、张瑞芳、李谷一、于淑珍、马玉涛、赵丽蓉、裴艳玲、张振富、耿莲凤、吕文科、朱时茂、陈佩斯、李金斗、赵本山、马晓娟、句号、赵葆秀、孟广禄、康万生等。

【海港区曾有过的专业文艺团体】

解放后，党和政府重视文艺工作，根据本地群众喜欢评剧的特点，成立了小海燕评剧团。该团排练了大量的新、老剧目，不但在市区剧场、文化宫等处演出，还经常送戏下乡，受到了群众欢迎。“文化大革命”期间，为了适应政治形势，演出样板戏，一度改称为秦皇岛市京剧团，“文革”后期又恢复为小海燕评剧团。

另外，本地曾出现过市曲艺团、文工团、海港区业余评剧团（确实是业余爱好者组成）。如今，小海燕评剧团的建制仍然存在，另有市歌舞团、曲艺团。

【何为“彩色周末”】

“彩色周末”是海港区人创造出的全民文化活动之一，已经成为全市乃至全省知名的夏季群众文化活动。活动最初始于1991年盛夏的周末文艺晚会，因为受到本地群众的欢迎和外地游客的赞赏，所以一直延续下来。每到周末，人民广场、新世纪公园等地，便会有专场文艺演出，部队、校园、农村、企业、机关的各个演出队伍轮番登台献艺，群众踊跃观看，极大地丰富了本区人民的生活。

如今，“彩色周末”活动不仅限于人民广场、新世纪公园，已经延展到一些商业区、景区、社区、公园和休闲场所，群众自发组织的文艺队伍表现出高超的演艺才能，观众喜笑颜开，展现出一派歌舞升平的情景。

“彩色周末”活动已经成为百姓展示才艺的大舞台。

一年一度的“海子诗歌艺术节”。

“平民偶像”颁奖典礼。

【第六章】人民生活

大事要览

【一】1903 年，港口成立华工体检所。

【二】1905 年，东山设劳工站医院（今港口医院前身）。

【三】1934 年，发生地震，震中在抚宁，波及秦皇岛镇。

【四】1946 年，美军侮辱北京女大学生事件引起平津人民抗议活动，为声援抗议活动，秦皇岛港工人与耀华玻璃厂工人举行万人游行示威，抗议美军在华暴行，反对国民党政府抓丁。

【五】本区人口的统计数字：

1948 年（解放前的秦皇岛镇）52425 人。

1949 年 85232 人。

1959 年 144738 人。

1980 年 212538 人。

1985 年 261318 人。

【六】1951 年，秦皇岛市二届二次政治协商委员会作出《封闭妓院的决议》。本区立即执行决议，18 家妓院全部封闭，从此娼妓绝迹。

【七】1953 年，国家对粮食实行“统购统销”政策，本区居民粮食销售正式实行计划供应。1985 年粮食市场开放，粮食自由买卖，居民手中的购粮本、粮票失去作用。

【八】1954 年，本区棉布实行凭票供应。此后，许多商品（如肉、食用油、糖、蛋、奶等大量副食品）相继凭票购买。此种情况直到改革开放时期才消除。

【九】1958 年，海港医院正式建立，当时由西医联合门诊部和新生、利民、医工、大众诊所，联合镶牙所、接生站七个联合机构组成。

总部在西前街，另在清真街、兴隆街设两个门诊部。1979 年建起门诊与住院大楼。如今，更新颖的住院部大楼屹立在文化路旁，成为海港区地标性建筑。海港医院已成为集医疗、急救、教学、科研和预防保健为一体的大型综合型医院。

借助风力推车。

这片土地古老，因为它历史悠久；这片土地年轻，因为它洋溢着现代化新潮；这片土地贫瘠，因为它曾饱受苦难；这片土地富饶，因为它迸发出了新的创造力。

海港区人民的生活状况与国家的命运紧密相连。

从小小的无名岛屿发展到小小的渔村，历史艰难跋涉了数千年。从小渔村跨越为城镇，才算开启了海港区的历史。

海港区人的生活习俗介乎于京津唐与东北之间，说话的口音大致接近于普通话，用餐习惯偏重于咸味，穿着打扮与京津唐地区基本一致。本区大多数人口为汉族，其次为回族，也有少量的满族、蒙古族、朝鲜族。人口的来源大致有这么几种状况：一是来自港口周边的农村，他们来港口做工或进城谋生。二是来自山东，当年“闯关东”的大潮使他们背井离乡来到这里，因为过山海关困难重重（俗称过“鬼门关”），便流落到秦皇岛港口，做了码头工人。三是解放初期的进城干部和随后的城市建设中参加工作的人群，他们多数来自唐山地区各县，这些人被俗称为“老呔儿”。四是改革开放以后，东北地区的人们大量涌入本地，有来此工作的，也有退休后来此居住的。身为开放城市的港城是包容的，欣然接纳了各种各样的人们，这也足以说明这座城市是个宜居之地。

如此说来，海港区也算得上是个移民城市。

历史是沉重的。先是煤矿工人的苦难，后是码头工人的辛酸，他们成年累月流血流汗，所创造出来的财富，被大清朝的皇权贵族无情地盘剥。随后是铁路工人、玻璃工人和其他手工业劳动者，

驴驮运输。

工人在码头卸煤。

大家仍然被后来的民国官员和来自日本的侵略者无情地盘剥。这些本地最早的无产阶级，付出艰辛的劳动，得到的却是微薄的薪水。人们当时的生活质量极差，许多工友们住在工棚，吃的是“锅伙”，因为贫穷，不少工友无力养家糊口，他们不能娶妻生子，认命地做了鳏夫。在灾难深重的旧社会，其他阶层多数人也是艰难度日，他们住在破旧的棚户区，从事着经商和“打短工”式的劳务，靠着寥寥无几的收入养活妻儿老小。只有少数资本积累殷实的人家把买卖做大，日子过得相对富裕。不过，在日本帝国主义侵华期间，本地的民族工商业仍未逃脱遭受排挤打击的厄运。

直到新中国成立，人民的苦难生活才宣告结束。政府投资兴办工商业，人们的生活逐步得以改善。政府的房管部门多次建造住宅，租给市民居住，各家企业也出资建造职工住宅，这些得力措施，改善了绝大多数市民的居住条件，这便是直至我国实行房

1953年，秦皇岛妓女得到解放。

改政策以前的福利性住房。

在20世纪50年代“大跃进”的方针指引下，本区也掀起了建设高潮，各行各业企事业单位相继建立，工人们成为国营单位职工，极大地增强了自豪感与主人翁意识，生产积极性普遍提高。虽然当时的家庭收入并不高，但是有了稳定的工作和稳定的收入，人们都能安居乐业。

“文革”运动发生之后，学校停课，工厂停工，不少党政职能部门陷于瘫痪状态，经济受损，物资匮乏，人们的生活质量受到影响。

进入了新的历史时期，国家实行了改革开放的新政策，经济腾飞，本区人民的生活状况得以不断改善，衣、食、住、行的档次逐年提升，人均收入不断提高。20世纪60年代以前，人们出行以步行为主。20世纪90年代以前，自行车是最普遍的交通工具。跨入新世纪之后，路上跑的几乎全是私家车了。从人们对家庭生活用品的追求上也能看出巨大变化，从最早的靠山镜、八仙桌，到“三大件”（即手表、自行车、缝纫机），再到沙发、电视机，如今发展到了楼房和私家车，海港区人民的生活，跨越了一个又一个台阶。另外，政府实行的“优抚”措施、“低保”措施、再就业措施、扶贫措施，使城乡人民没有了后顾之忧，增强了幸福感。

海港区北依燕山、南临渤海，大部分地域是农村。很久以前，本区农村就有人类繁衍生存，比市区要早很多年。那时，人们从

20 世纪 50 年代，秦皇岛汤河游泳大会前三名。

事着农业种植或渔业捕捞活动，生产力低下，工具落后。在封建社会里，老百姓遭受着历代统治阶级的盘剥，生活得不到温饱，此种状况一直延续到解放前。新中国的成立，使广大农民得以翻身解放。从 1949 年冬到 1950 年春，全区农村进行了土地改革，将原有的土地占有者、主要靠剥削农民过日子的地主、富农名下的土地强制剥夺，分给广大的贫农、贫下中农。自己有了土地的农民生产积极性极大提高，生活状况也有了明显改善。随后几年，又实行了生产互助组、生产合作社制度，后来又建立了人民公社。人民公社“一大二公”的特点，提高了农村生产力，广大社员过上了舒心日子，然而，经过多年的发展，吃“大锅饭”出工不出力的弊病也逐渐暴露出来。农村的生产力需要再上台阶，农民的生活水平需要再提高，于是，在20世纪80年代之初，我国农村开始了新的改革，土地承包到个人，实行了联产承包责任制。我区也紧随国家形势的发展，实行了新的改革。随后，撤销了公社和生产大队、生产队的建制，成立了乡（镇）和行政村的建制。

其实，山清水秀、物产丰富是本区农村的显著特点，自古以来，粮食、蔬菜、水果就是这里种植方面的三大产业，有些靠近海边的村庄还兼顾渔业。这里是个物产丰富、风调雨顺、适合居住的地方。只要有合理的社会制度，有和平的环境，有适应需要的管理模式，这片依山傍海的地域就是一块风水宝地。

在旧社会，农民的衣食住行条件很差，不少农民因为难以维持生计才流落到城市谋生。本地的港口、煤矿、耀华玻璃厂和一些商铺所雇用的劳动力，大部分是由这些农民组成。随着工业的发展，城市区逐步扩建，出现了城乡差别，农村的贫困人口成为了社会最底层。新中国成立之后，这种现象得到了改善，农民先是有了土地，后来成为公社社员，基本生活有了保障。但是，长期形成的城乡差别不可能在短时间内消失。

真正使农民走上富裕道路是我国进入了改革开放的历史时期，从土地承包，到发展副业，再到乡镇企业的兴起，农村的经济搞活了，农民手里有钱了。改革开放初期，邵岭村率先兴建燕滨商场，白塔岭村兴建了白天鹅商场，网匠庄村兴建了和平商场。随即，以第三产业为主的乡村经济实体蜂拥而起。这种热潮从商业迅速往其他领域延伸，建筑队、养殖场、开采业、制造业都成了农民涉足的领域。西盐务村兴办的燕山啤酒厂，其产量、质量均达到了较高的水平，管理方式也具有先进性，所生产的啤酒不仅受到国内广大消费者喜爱，还能出口到国外。农民企业家、种粮能手、

改革开放后的1985年，农民把目光转向了摩托车。

果树专家等不断涌现，有些农民进入市区成了公司的老板，有些农民工成了大型企业的劳动模范。

如今，随着农村城镇化建设的开展，随着美丽乡村建设计划的实施，本区农村的面貌焕然一新。村里村外的道路全都有规划地修建，村容村貌得到了改变，公厕修建、污水排放、垃圾处理，做到了井井有条。村民的住房条件极大改善，从过去的茅草屋，到后来的砖石与土坯的混合房，又从全部的砖瓦房到钢筋水泥房。如今，许多村庄整体拆迁改造，建设了一栋又一栋正规楼房，基本实现了城镇化。道路村村相连，公交车村村通过，农民的出行

随着改革开放的深入，电视机、收录机逐渐在农村流行。

不再是过去那样靠步行、骑驴、拉排子车、蹬自行车，不少农民开着私家车去市里购物或游玩，已经成了平常事，而城里人也把去乡村旅游当成了乐事。由于市区不断拓展，有些农村早已失去了村庄的概念，如今的邵岭村、铁庄村、百姓王庄村、前后马坊村，东西盐务村、东西白塔岭村、范家店村、土台子村、南李庄村、邹吕庄村，都成了城中村、花园村，成了城市的中心区域。

历史在见证，随着社会的发展，城乡差别正逐步消除，共同致富的理想，正在实现。

纵观古今，本区的医疗卫生事业也经历了一个从无到有、从小到大的发展过程。

在旧社会，由于贫穷落后、缺医少药，劳动人民患病既无钱医治，也无处投医。那时，只有散落在乡间的郎中用中草药或偏方给人治病，不少愚昧无知的人家里有了病人，还靠巫婆、神汉

1952 年，长城马路、渔市街附近，下水管道改造的场景。

1983 年 7 月，市委书记戴明予在海港区西北菜园街道参加环境卫生劳动。

1984 年 3 月，张志刚市长视察市场。

1983年，由秦皇岛开往山海关的3路公共汽车车少人多、拥挤不堪。图为两位成年人在车窗口接应儿童上车。

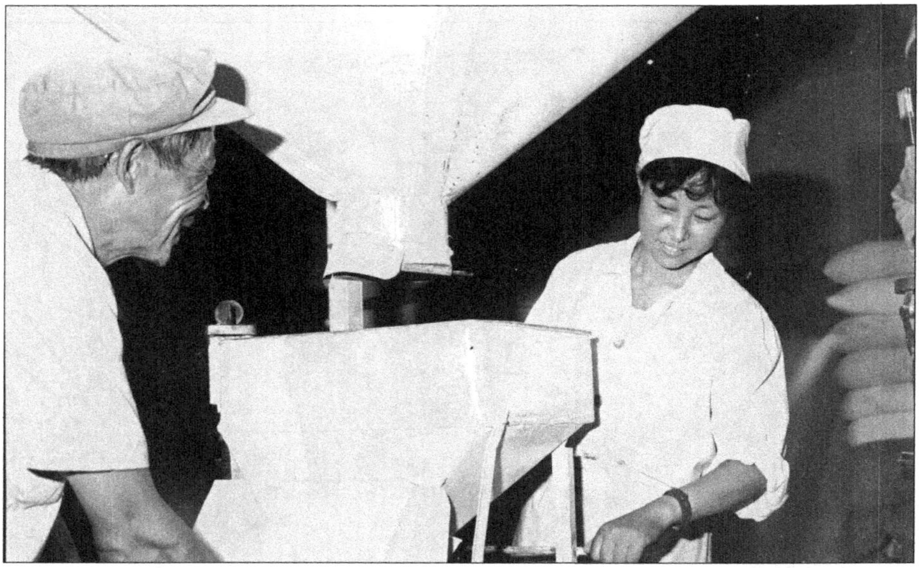

凭本定量供应的口粮，不得不斤斤计较。图为开滦路粮站正在为市民仔细称粮。

1993 年，海阳路经过改造，新建了一大批商业房公开拍卖。

秦皇岛首家超市。

跳大神消灾。直到清朝光绪年间，开平矿务局才在港口附近设立了一家“矿务局医院”（实为诊所）。那时的港口归属开平矿务局，码头工人都算作矿务局的员工，因此设立这家医院专为码头员工看病。到了民国期间，又多了几家中医和西医诊所，但是，也只能进行一般的普通病和常见病的治疗和处理。当时，只有港口、铁路、耀华玻璃厂、柳江煤矿设有诊所为其内部人员治病，而且医疗水平也是有限的。到了1933年，本地出了一位名医叫赵辑五，他开办了一家“秦皇岛医院”，分设内科、外科、妇科、儿科等，并设有多张病床，这才算得上是正规的医院了。

新中国成立之始，党和政府下大力量推进医疗卫生事业发展，在市区几家私人诊所联合的基础上，建立了“海港医院”，市属的“人民医院”（今称市第一医院）也随即建成。各个乡（公社）都有了“卫生院”，每个大队（村）都培养了若干名自己的医生（俗称“赤脚医生”），形成了从下到上的医疗体系。同时，企业负担职工医疗，农村实行合作医疗，公职人员公费医疗，也为群众防病治病提供了优惠的条件。

随着社会发展，为了满足人民需要，原有的医院不断扩大，又一批新的大型医院（如妇幼保健院、中医院等）相继建成，检查设备不断更新，治疗水平不断提高。如今国家实行了全民医疗改革，人人加入医疗保险，大型正规医院多达数十家，各个社区也都建有医疗诊所，群众治病方便，费用能报销，健康水平不断提高，平均寿命逐步延长，已经步入了老龄社会。此外，卫生防疫站、职业病防治所等机构，也有健全的机制，发挥出应有的作用。

其实，老龄社会不仅表现出老年人多，也是社会进步、生活富裕的体现。

民国年间的港口医院内科病房。

目前，全区共有各级各类医疗机构828个，其中二甲综合医院1个，疾病预防控制中心1个，社区卫生服务中心10个，社区卫生服务站76个，镇卫生院8个，村卫生所254个。农民参加新农合医疗保险达到96.8%。

1951 年，位于市北郊的秦皇岛市第一医院住院部。

1964 年，秦皇岛市第一医院的住院部及门诊部。

历史钩沉

【抗日战争期间本地居民生活状况】

1939年，在日本侵略军的统治下，日伪镇政府推行“保甲制”，实行五家连保、十家连坐法。这种一人犯法、连累乡邻的法规，使群众失去人身自由，深受残酷的高压统治。1941年，日伪县政府又组织乡镇成立“保甲自卫团”，进行训练，极力强化罪恶的“保甲”制度。

1945年，日伪统治即将垮台，市场混乱，粮食及百姓日用品价格飞涨，民不聊生。

【人民获得新生】

1948年，国民党军队战败撤走，中国人民解放军第四野战军结束了辽沈战役之后，从东北入关，逼近平津，本地宣告解放。1949年，新成立的人民政府向无力营业的小商贩及失业工人发放救济贷款。同时，全市成立了支援前线委员会，本区各单位均成立了支前小组，组织群众帮助解放军缝制衣物、做饭、运送物资。

【吃饭大会】

1960～1961年，这是面临灾荒、人们普遍挨饿的两年，市委召开过“吃饭大会”，部署各区正确对待粮食低标准，用“瓜菜代”来解决吃饭问题。海港区认真贯彻会议精神，积极帮助农村办好食堂，并对浮肿病人进行排查摸底，照顾一些粮、豆、菜等物品，用以解决群众之苦，度过灾荒之年。

【“文化大革命”】

1966年，开始了无产阶级“文化大革命”运动，海港区许多干部、知识分子、群众被关押、批斗、抄家，罪名为“走资派”“叛徒特务”“黑五类”等。区委原书记张健民同志在唐山地委参加会议期间，也被揪回来进行批斗。当时，各单位均成立了“‘文革’领导小组”，负责领导本单位的“文化大革命”运动。

运动后期，被扣上各种“帽子”的人得以平反，恢复名誉。

【唐山大地震】

1976年，唐山发生大地震，本区受到波及，有多处楼房震裂或损坏，群众住宅也有损坏情况，有人受伤，但无人死亡。本区成立了抗震救灾医疗队和抗震救灾工作队，开赴唐山参加救灾。各企业、事业单位，也组织了相应的救灾队伍，去唐山参与救灾。

【从拾柴到用天然气】

过去，本地似乎没有城乡差别，城市居民和农民的生活条件、生活习俗大致一样，都要靠拾柴火、烧火炕来做饭、取暖。解放后，市民逐渐学会烧煤，政府也成立了煤建公司（后来改成燃料公司），向市民供应燃煤，并逐步由烧散煤过渡到烧成型煤（即蜂窝煤）。

改革开放之后，市里成立了液化气公司，逐步推广使用罐装的液化气烧火做饭。如今，又成立了新的燃气公司，将天然气用管道送往各家各户，更方便，更洁净，更环保，免除了群众拾柴、拉煤的辛苦。农村也有了极大的变化，烧柴的时代早已过去，有的改烧煤了，有的用液化气了，有的用沼气了，也有的村庄整体拆迁，用上天然气了，农民的日子越过越好。

唐山大地震后，海港医院医护人员和唐山伤员亲如一家。

【秦皇岛的“大菜篮子”】

1992 年，海阳镇建立了一座全市最大的“海阳农副产品批发市场”，号称秦皇岛市的“大菜篮子”。因为管理有序，效益颇丰，2005 年被国家统计局、商务部、中国商业联合会评为“全国二十大农副产品批发交易市场”。2011 年，“海阳农副产品批发市场”又新建了农副产品精品区，主要经营高档海鲜、水果、干果和本地名优土特产品。

“海阳农副产品批发市场”的建立，极大地丰富了本地居民的餐桌，也增加了税收，临近城市的部分经商者也纷纷前来购物或出售商品。如今，它已成为辐射东北、华北、西北，面向全国的大型现代化批发市场。

每天到这里“逛市场”，已成为不少当地居民的习惯。

如今，除了“海阳农副产品批发市场”以外，本地具有较大影响力的市场还有港城早市、天桥市场、光明路市场、张庄市场、天开市场、石门寨大集等。

后　记

海港区是一座生态之城。山地、丘陵、浅山、平原、湿地、沙滩、海洋，地质地貌品类齐全。南部沿海沙软潮平，北部山区浓荫叠翠。汤河、石河上中游贯穿全境，碧水蓝天、鸥鸟翔戏，一幅媲美江南水乡的北国风光。这里气候宜人，冬无严寒，夏无酷暑，融合了海洋气候与大陆气候的特点，是休闲度假的绝好之地。城在林中，林在城中，林网与水网交织，花海与长城相映。“面朝大海，春暖花开”，这里正像著名诗人海子所写的诗篇。

海港区是一座人文之城。港口博物馆、玻璃博物馆、电力博物馆、柳江地质博物馆，不仅记录了一座城市的历史，而且诗意地阐释了这座城市的过去和未来。长达110公里的明长城荟萃了万里长城的精华，水上长城、倒挂长城，是长城建筑史上的奇迹，也为研究长城提供了绝佳的美学范本。北部山区的农耕文明、乡土文明，中部工业区的企业文化，与南部沿海地区的现代气息、创新思维，以及星罗棋布的文化、教育、体育机构，都为这座城市提供着精神源泉和人文底蕴。

海港区是一座旅游之城。拥有国内最长的亲水休闲木栈道，拥有承办过亚运会、奥运会的海边运动场，滨海风情与追梦主题完美结合。古树参天的求仙入海处景区，秦砖汉瓦衬托着时尚现代的视听享受，历史与现实的交汇令游客产生神奇的体验。大自然格外厚爱这片土地，让这里拥有丰富的旅游资源，观海、滑雪、漂流、登山、访古，四季旅游、体验旅游正在拉开全新的框架。

随着山海大通道、环长城旅游公路的完美对接和全线贯通，山、海、花、田的独特景观将在海港区一一展现。特色小镇、美丽乡村建设，将开启全域旅游的新时代。

海港区是一座活力之城。以耀华玻璃为代表的玻璃制造业，以中信渤铝为代表的装备制造业，以金海粮油为代表的食品加工业，以中阿化肥为代表的化工制造业，以翼珩太阳能为代表的光伏产业，成为海港区的经济支柱产业。近年来，茂业、万达、燕达、义乌小商品城等商业航母相继落户海港区，第三产业加速发展，群星灿烂。在经济发展新常态的大背景下，高新技术企业、现代服务业逆势上扬，强劲增长，成为引领海港区创新发展的新动能。临港物流园区、北部工业区、圆明山文化旅游产业聚焦区、海港高新区等园区打造各具特色的产业平台，基础设施、项目建设和招商引资都取得了重大突破。

海港区的历史，书写在史册上，也留在人们的记忆中。她从秦始皇东巡的车马声中走来，从昔日的小渔村小码头走来，从百年大港的历史风云走来。如今，她秉承“开放、包容、崇德、尚美”的海港精神，正阔步走向更加美好的未来。